LE ROMAN DE MÉLUSINE

La littérature du Moyen Âge
dans la même collection

ADAM DE LA HALLE, *Le Jeu de la Feuillée* (édition bilingue). — *Le Jeu de Robin et Marion* (édition bilingue).

Aucassin et Nicolette (édition bilingue).

BODEL, *Le Jeu de saint Nicolas* (édition bilingue).

Chansons de geste espagnoles (Chanson de Mon Cid. — Chanson de Rodrigue).

La Chanson de Roland (édition bilingue).

CHRÉTIEN DE TROYES, *Érec et Énide* (édition bilingue). — *Lancelot ou le Chevalier de la charrette* (édition bilingue). — *Perceval ou le Conte du graal* (édition bilingue). — *Yvain ou le Chevalier au lion* (édition bilingue). — *Cligès. Philomena* (édition bilingue).

PHILIPPE DE COMMYNES, *Mémoires sur Charles VIII et l'Italie* (édition bilingue).

COUDRETTE, *Le Roman de Mélusine.*

Courtois d'Arras, L'Enfant prodigue (édition bilingue).

DANTE, *La divine comédie* (édition bilingue) : *L'Enfer. — le purgatoire. — Le Paradis.*

Fables françaises du Moyen Âge (édition bilingue).

Fabliaux du Moyen Âge (édition bilingue).

Farces du Moyen Âge (édition bilingue).

La Farce de Maître Pathelin (édition bilingue).

HÉLOÏSE ET ABÉLARD, *Lettres et Vies.*

Lais féeriques des XIIe et XIIIe siècles (édition bilingue).

La Littérature française du Moyen Âge (édition bilingue, deux volumes).

GUILLAUME DE LORRIS, *Le Roman de la rose* (édition bilingue).

MARIE DE FRANCE, *Lais* (édition bilingue).

Nouvelles occitanes du Moyen Âge.

ROBERT DE BORON, *Merlin.*

Robert le Diable.

Le Roman de Renart (édition bilingue, deux volumes).

RUTEBEUF, *Le Miracle de Théophile* (édition bilingue).

VILLEHARDOUIN, *La Conquête de Constantinople* (édition bilingue).

VILLON, *Poésies* (édition bilingue).

VORAGINE, *La Légende dorée* (deux volumes).

COUDRETTE

LE ROMAN
DE MÉLUSINE

Texte présenté, traduit et commenté
par
Laurence HARF-LANCNER

GF-Flammarion

© Flammarion, Paris, 1993, pour cette édition.
ISBN : 978-2-0807-0671-3

A ma mère.

INTRODUCTION

On aime entendre raconter
les histoires d'un lointain passé,
pourvu qu'elles soient bonnes et belles,
plus encore que les nouveautés.
(Coudrette, *Mélusine*, vv. 13-16, p. 39.)

Les contes mélusiniens

L'histoire de Mélusine appartient à la culture populaire. En 1392, quand Jean d'Arras entreprend de rédiger
le premier *Roman de Mélusine*, il inscrit d'emblée la légende,
après quelques considérations savantes sur les merveilles qui échappent à l'entendement humain, dans la
tradition orale : « Laissons là les autorités, et, pour donner
à ce récit cette couleur de vérité qui est la sienne, à notre
avis, comme l'affirment les chroniques authentiques,
rapportons ce que nous avons entendu raconter à nos
pères, et qu'aujourd'hui encore on dit avoir vu au pays
de Poitou et ailleurs : en plusieurs lieux sont apparues à
plusieurs personnes, très familièrement, de ces créatures nocturnes que d'aucuns appellent lutins, d'autres
les êtres féeriques, d'autres les bonnes dames. » Quelques années plus tard, Coudrette place son roman en
vers sous l'autorité de sources écrites, mais s'appuie aussi
sur « la mémoire de ceux à qui il parle[1] ». On trouve en

1. Jean d'Arras, *Mélusine*, trad. M. Perret, Paris, 1979 et 1992,
p. 15 ; Coudrette, *Le Roman de Mélusine*, *infra*, p. 151.

effet, dans le folklore universel, des récits qui mettent en contact le monde des humains et le monde surnaturel, à travers l'union d'un mortel et d'une fée, union liée au respect d'un interdit. Ainsi l'héroïne d'un texte védique, Urvasi, « doyenne des Mélusines », selon l'expression de G. Dumézil, appartient à la race des Apsaras (« qui vont sur les eaux »). Elle s'offre au mortel Pourouravas, à la condition de ne jamais le voir nu[2]. Mais les Gandharvas, génies masculins, habituels compagnons des Apsaras, refusent l'union d'Urvasi avec un mortel et veulent la contraindre à regagner l'autre monde. Ils font jaillir, une nuit, une violente lumière : Urvasi voit son époux sans ses vêtements et disparaît aussitôt. Voilà, bien des siècles avant Mélusine, le premier conte *mélusinien*, que Jean d'Arras lui-même résumera en ces termes : « Il est arrivé que ces fées prennent l'apparence de très belles femmes et que plusieurs hommes en ont épousé. Elles leur avaient fait jurer de respecter certaines conditions : pour certains, de ne jamais les voir nues, pour d'autres, de ne jamais chercher à savoir ce qu'elles faisaient le samedi, pour d'autres encore, de ne jamais tenter de les voir pendant leurs couches, si elles avaient des enfants. Tant qu'ils observaient ces conditions, ils jouissaient d'une situation élevée et d'une grande prospérité. Et aussitôt qu'ils manquaient à leur serment, ils perdaient leurs épouses et la chance les abandonnait peu à peu[3]. » Ce résumé détache nettement trois temps dans l'aventure :

— **Une fée épouse un mortel en lui imposant le respect d'un interdit.**

Très souvent, la rencontre a pour cadre la forêt ou l'eau, frontière indécise de deux mondes qui n'existent

2. G. Dumézil, *Le Problème des Centaures*, Paris, 1929, p. 144.
3. Jean d'Arras, *Mélusine*, trad. M. Perret, p. 16. Les trois tabous évoqués ici correspondent à des textes précis : le propre roman de Jean d'Arras, dans lequel la fée Présine, mère de Mélusine, ne doit pas être vue pendant ses couches, pas plus que Mélusine elle-même ne doit être vue le samedi ; et l'aventure de Raymond de Château-Rousset, contée par Gervais de Tilbury dans les *Otia Imperialia*, dans laquelle la fée ne doit pas être vue nue : voir ce texte *infra*, dans le dossier sur les ancêtres de Mélusine.

pas l'un sans l'autre. Le héros, solitaire, est entraîné
loin des siens par un cerf ou un sanglier merveilleux
qui semble obéir aux ordres de la fée, s'il n'en est pas
l'avatar. Il découvre, ébloui, une femme idéalement
belle et richement parée, souvent vêtue de blanc, couleur de la féerie. Cette femme est rarement nommée.
Elle offre au héros l'amour et la prospérité, s'il
consent à l'épouser et à respecter l'interdit qu'elle lui
fixe. Cet interdit peut prendre des formes très variées :
la mère de Mélusine, la fée Présine, interdit à son
époux Hélinas de la voir pendant ses couches ; Mélusine elle-même se cache aux yeux de tous le samedi.
Mais il a toujours la même fonction : cacher la véritable nature de l'époux féerique.

— Le couple jouit d'une prospérité éclatante
aussi longtemps que l'époux humain tient sa
parole.

Cette prospérité est d'abord matérielle. Le pêcheur
remplit chaque jour son filet, le fermier fait de riches
récoltes, le noble agrandit ses terres. Mais la félicité du
couple se traduit aussi et surtout par la naissance
d'une belle progéniture : la fée donne à son époux des
enfants qui auront eux-mêmes une descendance parmi
les humains. Ainsi se forment des familles, le plus souvent illustres, qui se reconnaissent pour ancêtre un
être fantastique. Le pouvoir d'offrir la prospérité
matérielle, les Mélusines le partagent avec tous les
êtres fantastiques ; mais ce don d'une descendance
semi-divine caractérise le conte mélusinien. Ce don
redouble d'importance dans l'imaginaire féodal.

— Le pacte est violé : la fée disparaît et, avec
elle, la prospérité qu'elle avait apportée en dot.

Un nouveau personnage fait son apparition :
l'agresseur des contes merveilleux. Il pousse le héros
crédule à trahir son serment. Ainsi le propre frère de
Raymondin, dans les deux romans de Mélusine, sème
le soupçon dans le cœur du héros, en lui suggérant
que son épouse passe le samedi en compagnie de son
amant. Raymondin va donc découvrir le secret de
Mélusine : la belle dame se métamorphose le samedi

en serpente. La désobéissance de l'époux mortel coïn-
cide le plus souvent avec la révélation d'un trait monstrueux, donc du caractère surnaturel de la fée. La fée
elle-même disparaît aussitôt et le châtiment s'abat sur
le coupable : il perd avec sa femme le bonheur qu'elle
lui avait apporté. Mais un des enfants au moins reste
près de son père. Il s'agit toujours d'un fils, qui s'il-
lustrera par ses exploits et sera l'ancêtre d'une noble
famille.

Ce récit constitue une variante du conte-type 400
de Aarne-Thompson, « l'homme en quête de son
épouse disparue », répandue dans le monde entier dès
la plus haute Antiquité[4]. Dans l'*Hymne à Aphrodite*, la
déesse promet son amour et sa protection à Anchise,
s'il garde le secret sur leur union, et le menace des
pires châtiments, s'il se vante de son bonheur. L'héroïne d'une légende japonaise du *Ko Ji Ki*, un recueil
de récits mythiques rédigé en 712, est Toyotamahime,
la fille du dieu de la mer, qui a épousé le dieu chasseur
Hohodemi. Au moment de ses couches, elle chasse
son mari en ces termes : « Quand une étrangère
accouche, elle prend la forme de son pays natal pour
sa délivrance. Je vais donc maintenant prendre ma
forme originelle au moment de ma délivrance. Ne me
regarde pas ! » Et l'époux, transgressant l'interdit,
voit, horrifié, tel Raymondin devant Mélusine, sa
femme métamorphosée en monstre marin, en un
énorme crocodile qui se tord sur le sol[5]. Le conte de la
Belle et de la Bête offre la forme féminine du conte
mélusinien, dont la version écrite la plus ancienne est
la fable de Psyché dans *L'Ane d'or* d'Apulée[6]. Les
parents de la belle Psyché doivent livrer leur fille à un
monstre marin, qui emporte son épouse dans son

    4. A. Aarne et S. Thompson, *The Types of the Folktale*, Helsinki,
1961 ; L. Harf, *Les Fées au Moyen Age*, Paris, 1984, chap. 4, « Les
contes mélusiniens » ; P. Gallais, *La Fée à la fontaine et à l'arbre*,
Amsterdam, 1992.
    5. Voir L. Harf, *Les Fées*, p. 98.
    6. Apulée, *L'Ane d'or ou les Métamorphoses*, trad. P. Grimal,
Paris, Bibl. de la Pléiade, 1958, pp. 218-255.

palais de l'autre monde. L'époux surnaturel abandonne, la nuit venue, sa forme animale, mais Psyché ne
doit pas voir son mari, qui ne s'approche d'elle que dans
l'obscurité. Poussée par ses sœurs jalouses, elle surprend le secret de son époux, qui n'est autre qu'Eros,
avant de le perdre. Mais par ses épreuves, elle saura
reconquérir le bonheur perdu. Dans l'imaginaire de
l'Occident médiéval, Eros prendra les traits du Chevalier au cygne, de Lohengrin, dont l'épouse mortelle
trahit également le secret. La Mélusine médiévale n'est
que l'une de ces fées qui abandonnent leurs lointaines
demeures pour l'amour d'un mortel. Mais derrière l'in-
terprétation médiévale du schéma universel des contes
mélusiniens, transparaît le regard qu'ont porté les
hommes du Moyen Age sur ces images du désir. La
scène centrale de la légende de Mélusine est en effet
celle du bain surpris : perçant un trou dans le mur qui
abrite Mélusine des regards indiscrets, Raymondin,
transformé en voyeur, découvre à la fois la nudité et la
monstruosité de sa femme, indissociables, tout comme,
dans la légende japonaise, la monstruosité féminine
était liée à l'accouchement. Les peintres des manuscrits
du XVe siècle ne s'y tromperont pas : tous chercheront à
représenter en même temps, dans la scène du bain, le
désir suscité par la beauté, mais aussi la peur de la
femme, traduite par la queue serpentine et les ailes de
dragon de Mélusine. Mélusine au bain évoque à la fois
Bethsabée, dont la beauté poussa David au crime, et le
serpent de la *Genèse*, à qui les peintres donnent souvent
le visage même d'Eve[7].

Les ancêtres de Mélusine

Dès le XIIe siècle, l'histoire de la fée qui deviendra
Mélusine a été introduite dans la littérature écrite.
Plus de deux siècles avant les deux romans français

7. Voir F. Clier-Colombani, *La Fée Mélusine au Moyen Age*,
Paris, 1991, chap. 10 et 11.

de Jean d'Arras et de Coudrette, des clercs racontent,
en latin, une merveilleuse aventure qui reproduit les
principaux éléments de la légende de Lusignan. Plusieurs d'entre eux sont liés à la cour royale d'Angleterre, principal foyer culturel de l'époque, qui
semble avoir particulièrement goûté ce récit. Ainsi le
Gallois Gautier Map (vers 1140-vers 1210), l'un des
nombreux clercs attachés au roi d'Angleterre Henri II
Plantagenêt, n'a laissé qu'un ouvrage, le *De Nugis
curialium* (les *Sornettes des courtisans*), composé entre
1181 et 1193. Ce recueil de récits et d'anecdotes
renferme de nombreuses légendes galloises. Cinq
d'entre elles content la rencontre, l'union puis la
séparation d'un mortel et d'une fée. Mais une seule,
l'histoire d'Henno aux grandes dents, évoque la
métamorphose de la fée en serpent ou en dragon,
caractéristique de la légende de Mélusine. Henno aux
grandes dents rencontre un jour, près d'un rivage de
Normandie, une belle éplorée qui lui explique qu'elle
a perdu le navire qui la menait au roi de France.
Henno épouse l'inconnue, qui lui donne de nombreux enfants. Mais la mère du héros remarque que
la jeune femme évite, à la messe, l'aspersion d'eau
bénite et la communion, et la surprend au bain sous
la forme d'un dragon. Henno, assisté d'un prêtre,
asperge d'eau bénite sa femme et la servante de celle-ci, qui disparaissent dans les airs. Mais les enfants
de la fée restent près de leur père. De même, Gervais
de Tilbury (vers 1152-vers 1234), un ancien protégé
d'Henri II, passé au service de l'empereur Othon IV
de Brunswick, rédige entre 1209 et 1214, pour son
puissant protecteur, les *Otia Imperialia* (*Divertissement
pour un empereur*), ouvrage encyclopédique dans
lequel l'histoire universelle voisine avec des données
géographiques et scientifiques, des traditions popu-
laires et des contes merveilleux. L'histoire de Raymond de Château-Rousset, un noble provençal
homonyme de l'époux de Mélusine, est explicitement
évoquée dans le prologue du roman de Jean d'Arras,
qui, curieusement, le rebaptise Roger : « Gervais

lui-même nous conte le cas d'un chevalier nommé Roger du Castel de Rousset, dans la région d'Aix-en-Provence, qui rencontra une fée et voulut l'épouser. Elle y consentit, à la condition qu'il ne chercherait pas à la voir nue. Ils vécurent longtemps ensemble et la prospérité du chevalier s'accroissait de jour en jour. Jusqu'au moment où, longtemps après, un jour où cette femme se baignait, poussé par la curiosité, il eut le désir de la voir : aussitôt, elle plongea la tête dans l'eau, se transforma en serpente et disparut à tout jamais. La fortune et la prospérité du chevalier déclinèrent petit à petit[8]. » Là encore, Gervais souligne que la fée a laissé une belle descendance. Enfin le cistercien Geoffroy d'Auxerre, né vers 1120, a été secrétaire de saint Bernard de 1145 à 1153 et abbé de Clairvaux. Célèbre pour sa *Vie de saint Bernard*, il a également rédigé vingt sermons sur l'*Apocalypse*. Dans le quinzième de ces sermons, surgissent trois légendes consacrées à l'union d'un mortel et d'une femme surnaturelle. Elles sont liées à la sombre figure de Jézabel, « cette femme qui se prétend prophétesse ; par son enseignement, elle induit mes serviteurs à se prostituer en mangeant des viandes immolées aux idoles » (*Apocalypse* 2, 20). Ce sont des *exempla*, des anecdotes édifiantes destinées à illustrer le sermon. La première conte l'aventure d'un jeune Sicilien et d'une ondine ; la deuxième la légende du Chevalier au cygne, double masculin de Mélusine[9]. Seule, la troisième présente la métamorphose de la fée en serpente. Dans le diocèse de Langres, un jeune homme découvre une belle inconnue dans la forêt et l'épouse. Il remarque cependant que sa femme éprouve une passion surprenante pour le bain et qu'elle refuse d'être vue pendant ses ablutions. Il la surprend dans l'eau, sous la forme d'un serpent, mais elle disparaît aussitôt. Tous les éléments de l'histoire de Mélusine sont déjà présents dans ces récits : les trois temps du conte mélusinien

8. Jean d'Arras, *Mélusine*, traduction M. Perret, p. 17. Sur tous ces récits, voir *infra* le dossier *Les ancêtres de Mélusine*.
9. Sur le Chevalier au cygne, voir C. Lecouteux, *Mélusine et le chevalier au cygne*, Paris, 1982 et L. Harf, *Les Fées*, pp. 179-198.

(rencontre — pacte — transgression du pacte et disparition de la fée), et un interdit lié à la forme animale de
la fée, qui est une serpente.

Le thème de l'union d'un mortel et d'une fée est
également fréquent dans la littérature romanesque des
XIIᵉ et XIIIᵉ siècles, imprégnée de folklore. Ainsi les
lais, d'abord compositions musicales puis courts
poèmes narratifs placés sous le patronage des Bretons,
sont souvent des contes merveilleux dont le héros se
perd dans l'au-delà de l'unité retrouvée, auprès de la
fée porteuse d'absolu. *Lanval, Graelent, Désiré, Guingamor, Guigemar, Tyolet* : autant de variantes d'une
même histoire, celle de l'union d'un homme avec l'incarnation de son désir[10]. Ainsi Lanval, injustement
exclu de la cour du roi Arthur, recherche la solitude.
Près d'une rivière, il voit venir deux jeunes filles qui le
conduisent à leur maîtresse, radieuse de beauté : elle
lui offre son amour et sa protection, s'il garde le secret
sur leur rencontre. La fortune sourit à nouveau au
héros, jusqu'au jour où, accusé d'homosexualité par la
reine dont il a repoussé les avances, il se vante de la
beauté de son amie. La reine traîne Lanval en justice
pour l'avoir insultée, la fée l'abandonne mais resurgit
à la fin du procès pour justifier le héros. Les deux
amants disparaissent à jamais dans l'île d'Avalon.
Toujours à la fin du XIIᵉ siècle, le héros du roman de
Partonopeu de Blois est entraîné par une nef magique
dans un somptueux palais où le rejoint, la nuit, une
belle inconnue, qui lui interdit de chercher à la voir. Il
viole le tabou et la perd puis la retrouve au terme de
longues épreuves[11]. Florimont, dans le roman
d'Aymon de Varennes (1188), se voit offrir l'amour de
la dame de l'Ile Celée, en échange du secret. Mais cet

10. Pour les lais anonymes (*Graelent, Désiré, Guingamor, Tyolet*),
voir *Lais féeriques des XIIᵉ et XIIIᵉ siècles*, édition et traduction de A.
Micha, Paris, GF-Flammarion, 1992 ; pour *Lanval* et *Guigemar*,
voir *Lais de Marie de France*, traduction L. Harf, Paris, Lettres
gothiques, 1990.
11. *Partonopeu de Blois*, éd. J. Gildea, Villanova (Pennsylvanie),
1967.

amour est découvert par la mère du héros et son maître, l'enchanteur Floquart, qui violent l'interdit et provoquent la séparation des amants, préférant voir Florimont « ici et malheureux » plutôt qu'« heureux et perdu là-bas ». C'est qu'en suivant la fée, Florimont connaîtrait une joie trompeuse ; le désespoir et la folie qui suivent la séparation sont en revanche rédempteurs, et le font accéder à une compréhension plus élevée de la chevalerie et de l'amour[12]. Il sera l'heureux époux de la princesse Romadanaple et le grand-père d'Alexandre de Macédoine. Enfin, c'est encore à la fin du XIIe et au début du XIIIe siècle que fleurissent les premières versions écrites du conte des enfants-cygnes et de la légende du chevalier au cygne[13]. Un jeune homme surprend des femmes-cygnes, et vole à l'une d'elles la chaîne qui lui permet de se métamorphoser à volonté. Les enfants de la fée naissent avec la même chaîne autour du cou. Leur cruelle grand-mère tente de dérober ces chaînes, dont l'une est endommagée : son possesseur conservera donc à jamais sa forme de cygne. Il sera le fidèle serviteur de l'un de ses frères, le chevalier au cygne, ancêtre de Godefroy de Bouillon. En effet, tout comme les Lusignan devaient le faire deux siècles plus tard, les ducs de Bouillon se sont donné au XIIe siècle un ancêtre surnaturel. En mariant le chevalier fantastique à une duchesse de Bouillon, on faisait de lui l'aïeul du héros de la première croisade. A la même période court une légende sur les origines fantastiques des Plantagenêt. Un comte d'Anjou aurait épousé une inconnue pour sa seule beauté et aurait ensuite découvert qu'elle quittait l'église avant la fin de l'office, pour éviter la consécration. Retenue de force, elle s'envola par le toit de l'église. « Le roi Richard racontait souvent cette histoire, disant qu'il ne fallait pas s'étonner

---

12. Aymon de Varennes, *Florimont*, éd. A. Hilka, Göttingen, 1933.
13. Voir J. Lods, « L'utilisation des thèmes mythiques dans trois versions écrites de la légende des enfants-cygnes », *Mélanges R. Crozet*, Poitiers, 1966, pp. 809-820 ; « Encore la légende des enfants-cygnes », *Mélanges R. Lejeune*, Gembloux, 1969, pp. 1227-1244.

si, issus d'une telle origine, les fils ne cessaient de combattre leurs parents et de se combattre entre eux ; en effet tous venaient du diable et retourneraient au diable[14]. » Henri II d'Angleterre et ses fils ont joué de cette légende sulfureuse. De la même manière, c'est vraisemblablement au XIIe siècle que le conte de l'homme marié à une serpente devient légende, en s'ancrant dans un cadre spatio-temporel plus précis, en s'attachant à une famille qui veut se donner la gloire d'un ancêtre surnaturel[15]. Mais il n'est pas encore question des Lusignan. A la fin du XIIe siècle, selon l'analyse de J. Le Goff, des familles nobles cherchent à s'approprier le conte, à en faire leur légende. Mélusine, « maternelle et défricheuse », est une déesse de la troisième fonction dumézilienne, la fécondité et la richesse (les deux premières ressortissant au sacré et à la guerre) : elle « apporte à la classe chevaleresque terres, châteaux, villes, lignage. Elle est l'incarnation symbolique et magique de leur ambition sociale[16] ». Les légendes mélusiniennes fleurissent donc vers la fin du XIIe siècle, quand la chevalerie se constitue en classe. Mais les seuls à réussir seront les Lusignan. En effet, la légende de Mélusine, ancêtre féerique des Lusignan, entre pour la première fois en littérature au début du XIVe siècle, soit un siècle après les récits précédents et un siècle avant les deux romans de Jean d'Arras et de Coudrette, sous la plume de Pierre Bersuire (1285-1362), c'est-à-dire Pierre de Bressuire, dans le *Reductorium morale* : « On raconte dans ma patrie que la solide forteresse de Lusignan a été fondée par un chevalier et la fée qu'il avait épousée, et que la fée elle-même est l'ancêtre d'une multitude de

14. Giraud de Barri, *De Principis Instructione* (1217), III 27, traduction J.-M. Boivin dans *Richard Cœur de Lion, Histoire et Légende*, Paris, 10/18, 1989, p. 29.

15. Sur la littérature généalogique et l'ancêtre mythique, voir G. Duby, « Remarques sur la littérature généalogique en France aux XIe et XIIe siècles », *Hommes et structures du Moyen Age*, Paris, 1973, pp. 287-298.

16. J. Le Goff et E. Le Roy Ladurie, « Mélusine maternelle et défricheuse », *Annales* 1971, p. 601.

nobles et de grands personnages, et que les rois de
Jérusalem et de Chypre, ainsi que les comtes de la
Marche et de Parthenay sont ses descendants. [...] Mais
la fée, dit-on, fut surprise nue par son mari et se transforma en serpente. Et aujourd'hui encore l'on raconte
que quand le château change de maître, le serpent se
montre dans le château[17]. » Tout est là, dans ce résumé
de la légende de Mélusine, à l'exception du nom de la
fée, qui n'apparaîtra qu'un siècle plus tard, dans les
deux romans français. Mais « il est difficile de déceler si
le nom de Mélusine a conduit aux Lusignan, ou si ce
sont les Lusignan qui, s'étant approprié la fée, lui ont
donné leur nom pour mieux se la lier[18] ».

Les deux romans de Mélusine

Le 7 août 1393, un certain Jean d'Arras dédie au
duc de Berry, oncle du roi Charles VI et le plus fas-
tueux seigneur de son temps, un roman en prose, « la
noble histoire de Lusignan ». On peut vraisemblablement l'identifier au Jean d'Arras, libraire à Paris, qui a
relié des livres pour le roi Charles VI, le duc de Bar et
la duchesse d'Orléans. Suit un deuxième roman, en
vers cette fois, achevé peu après 1401 par Coudrette
pour Jean Larchevêque, sire de Parthenay. On dispose
déjà d'une traduction du roman en prose de
Jean d'Arras. On trouvera donc ici, traduit pour la
première fois, le roman en octosyllabes de Coudrette,
qui s'écarte sur plusieurs points du récit de son pré-
décesseur. Le succès des deux œuvres est attesté par le
nombre des manuscrits qui ont survécu : dix pour
Jean d'Arras, vingt pour Coudrette[19]. Toutes deux

17. Pierre Bersuire, *Reductorium morale*, Paris, Claude Chevallon,
1521, prologue du livre XIV.
18. J. Le Goff, « Mélusine... », p. 596.
19. Voir L. Harf, « Les manuscrits enluminés des deux romans
français de Mélusine », *Le Moyen Age* (sous presse) et E. Roach,
« La tradition manuscrite du *Roman de Mélusine* par Coudrette »,
Revue d'Histoire des textes 7, 1977, pp. 185-233.

content une merveilleuse histoire. Le roi Hélinas d'Albanie (c'est-à-dire d'Ecosse) a épousé une belle inconnue rencontrée dans la forêt, Présine, contre la promesse de ne jamais la voir pendant ses couches. Il a trahi son serment et Présine la fée a regagné l'île d'Avalon (l'autre monde celtique) avec ses trois filles nouvelles-nées, Mélusine, Mélior et Palestine. En grandissant, les trois sœurs apprennent la faute de leur père et, pour le châtier, l'enferment au cœur de la montagne de Brumbloremmlion (dans le Northumberland). Elles sont punies à leur tour par leur mère. Mélusine se transforme tous les samedis en serpente « du nombril en aval » (de la taille aux pieds) et ne pourra échapper à la malédiction que si un homme accepte de l'épouser sans jamais chercher à la voir le samedi. Mélior devra garder un épervier merveilleux dans un château d'Arménie. Palestine sera enfermée dans le Mont Canigou, en Aragon, avec le trésor de son père, jusqu'à la venue du chevalier de son lignage qui la libérera et utilisera le trésor pour la délivrance de la « Terre de Promission », la Terre Sainte. Apparaît alors Raymondin. Ce jeune homme, fils cadet du comte de Forez, vit à la cour de son oncle, le comte Aymeri de Poitiers. Au cours d'une chasse au sanglier, il tue accidentellement son oncle. Or celui-ci, savant astrologue, avait lu dans les étoiles que le vassal qui tuerait ce soir-là son suzerain était destiné à fonder le plus glorieux des lignages. La prophétie va se réaliser. Raymondin, qui erre, désespéré, dans la forêt de Colombiers, rencontre à la fontaine de Soif Jolie, une belle inconnue qui lui offre sa main et une prospérité éclatante aussi longtemps qu'il respectera un interdit : jamais il ne devra chercher à la voir le samedi. Raymondin s'empresse d'accepter l'offre et devient bientôt le plus puissant seigneur du Poitou, le maître de la forteresse de Lusignan (et d'autres châteaux élevés par la fée) et le père de dix fils. Les enfants de la fée sont toutefois affligés d'une marque monstrueuse qui signe leur appartenance à l'autre monde. Ainsi Urien, l'aîné, a le visage court et large, un œil rouge et l'autre pers et des oreilles gigantesques. Eudes a une oreille plus grande que l'autre. Guy a un œil plus haut que l'autre. Antoine porte sur la joue une patte de lion ; Renaud n'a qu'un œil ; Fromont a sur le nez une petite tache velue comme la peau d'une taupe ; Horrible possède trois yeux. Enfin de la bouche du plus illustre et du plus redoutable des frères, Geoffroy la Grand Dent, saille une défense de sanglier qui le rapproche de la bête qui a permis la réalisation du destin des Lusignan. Seuls les deux derniers-nés, Raymond et Thierry, semblent échapper à la malédiction. Urien et Guy deviendront respectivement, par de riches alliances, roi de Chypre et roi d'Arménie, Antoine et Renaud duc de Luxembourg et roi de Bohême ; Eudes comte de la Marche. Geoffroy succédera à son père comme seigneur de Lusignan. Les plus jeunes, Raymond et Thierry, seront respectivement comte de Forez et sire de Parthenay. Fromont choisira le cloître. Seul le huitième fils de Mélusine, Horrible, ne peut être intégré à la société humaine : il sera mis à mort, sur le conseil de sa propre mère. Malgré cette prospérité insolente, Raymondin transgresse l'interdit. Persuadé par son frère que Mélusine utilise sa retraite du samedi pour le tromper, il creuse un trou dans la muraille et surprend le secret de la serpente. Il garde d'abord le silence et la fée feint de ne rien savoir. Mais en apprenant que Geoffroy la Grand Dent a mis le feu à l'abbaye de Maillezais, provoquant la mort de cent moines et de son propre frère Fromont, qu'il voulait arracher à la vie monastique, il ne peut s'empêcher de maudire son épouse, qu'il traite publiquement de « très fausse serpente ». Mélusine, rejetée dans l'autre monde, s'envole sous sa forme animale et vient s'abattre sur la tour Poitevine du château de Lusignan, où elle disparaît. Mais elle se montre encore dans le château quand celui-ci doit changer de maître.

Au château de l'Epervier, en Arménie, Mélior reçoit un jour la visite d'un roi d'Arménie, descendant de son neveu Guy, qui veut tenter l'aventure du château. Il surmonte victorieusement l'épreuve, qui consiste à veiller trois jours devant l'épervier. Mais pour récompense, il s'obstine à exiger le seul don qui lui soit interdit : l'amour de Mélior. Il est donc maudit, ainsi que toute sa descendance[20]. Quant à Palestine, son histoire n'apparaît que dans le roman de Coudrette. Emprisonnée dans le Mont Canigou avec le trésor de son père, elle voit plusieurs bons chevaliers tenter vainement l'épreuve ; seul, en effet, un chevalier de son lignage peut être vainqueur. Geoffroy décide de se rendre au Mont Canigou, mais la mort le surprend avant qu'il puisse réaliser son projet.

La pathétique figure de la fée offre donc une héroïne de choix au roman généalogique qu'écrivent Jean d'Arras et Coudrette. Mais l'histoire de Mélusine et de Raymondin n'occupe qu'une partie restreinte du récit, entrelacée aux aventures guerrières de leurs fils. Les deux romans présentent d'ailleurs des différences de structure. Seul, le roman de Jean d'Arras s'ouvre sur un long prologue qui conte la préhistoire de Mélusine et de Raymondin, le double conte mélusinien qui préside à la naissance de chacun des deux héros : Mélusine, Mélior et Palestine sont nées de l'union du roi Hélinas d'Albanie et de la fée Présine, qui quitte son époux mortel pour violation du tabou imposé ; Raymondin est le fils d'un noble Breton, chassé de son pays, qui a aimé une créature féerique rencontrée dans le Forez. Coudrette supprime cet épisode breton et ne révèle les origines de Mélusine qu'à la fin du roman, quand l'un des dix fils de la fée, Geoffroy, l'homme à la dent de sanglier, découvre dans la montagne de Northumberland, la tombe de son grand-père Hélinas et le secret de ses origines. Jean d'Arras est également le seul à conter plusieurs aventures de Geoffroy : ses exploits en Irlande et en Terre Sainte, son pèlerinage, ses combats en Autriche et son duel avec un chevalier fantastique. Inversement, le récit de Coudrette présente un épilogue absent de celui de Jean d'Arras : l'histoire de Palestine. Mais les deux romans sont tous deux construits sur un

20. Jean d'Arras et Coudrette reprennent cette légende aux *Voyages de Mandeville* : voir *infra*, dans la traduction, la note consacrée à l'aventure du Château de l'Epervier, p. 132.

double registre mythique, autour de deux figures : celles de Mélusine et de Geoffroy la Grand Dent. L'histoire de la fée Présine et de ses trois filles est centrée sur le mystère des relations de l'homme et du divin. Mais les fils de Mélusine relèvent également du mythe : à travers les aventures complémentaires des quatre aînés, intégrés à la communauté chevaleresque et destinés à devenir princes, et celles de Geoffroy le solitaire, qui demeure aux marges du monde sauvage, se dessine un mythe du héros guerrier. Deux couples de frères (Urien et Guy, Antoine et Renaud) suivent deux par deux la même carrière, volant au secours d'un prince qui leur offre sa fille unique et sa terre. Urien devient ainsi roi de Chypre, Guy roi d'Arménie, Antoine duc de Luxembourg, Renaud roi de Bohême. Et à quatre reprises, Jean d'Arras et Coudrette reproduisent la même séquence narrative :

— Un prince n'a qu'une fille pour héritière.
— L'un des fils de Lusignan vient au secours de la terre attaquée et la délivre de ses ennemis.
— Il reçoit la femme et la terre.

Ce jeu de répétition souligne, dans les deux romans, le lien entre la femme, la guerre et la terre : la conquête de la femme symbolise celle de la terre. On retrouve là un motif majeur du roman médiéval dès le XIIe siècle, profondément ancré dans l'idéologie féodale. Que l'on songe au *Roman d'Enéas* et à la fréquence des rimes « feme »/« regne » ou du rapprochement entre « femme » et « terre »[21]. A ces couples de frères s'oppose la figure solitaire de Geoffroy la Grand Dent. Geoffroy, le tueur des géants Guédon et Grimaut, et à ce titre figure de héros civilisateur, relève également du monde sauvage par sa fureur guerrière, qui lui fait mettre le feu à l'abbaye de Maillezais. « La dent de sanglier qui lui sort de la bouche comme une arme désigne en Geoffroy le personnage du conquérant. [...] C'est la réplique métonymique de cette autre figure du merveilleux

21. Voir C. Marchello-Nizia, « De l'*Enéide* à l'*Enéas*, les attributs du fondateur », *Lectures médiévales de Virgile*, Rome, 1985, pp. 252-254.

qu'est le sanglier de la forêt de Colombiers » qui, surgi à
point nommé de la forêt pour tuer le comte de Poitiers,
a permis au destin de Raymondin de s'accomplir[22].
Coudrette identifie explicitement la fureur bestiale de
Geoffroy, au moment de son fratricide, à celle d'un
sanglier : « De colère, il devient rouge comme le sang,
sue et écume comme un sanglier[23]. »

Quelles sont les relations entre les deux romans ?
Coudrette a-t-il connu le roman de Jean d'Arras ?
Quelles sont les sources de l'un et de l'autre ? Jean
d'Arras mentionne, dans son prologue, « les chroniques authentiques » qu'il a reçues du duc de Berry, du
comte de Salisbury, « et plusieurs livres qui ont été
trouvés ». Il évoque également Gervais de Tilbury et
ses *Otia Imperialia*, qui contiennent des légendes
mélusiniennes, mais aussi « ce que nous avons
entendu raconter à nos pères, et qu'aujourd'hui
encore on dit avoir vu au pays de Poitou et ailleurs[24] ».
En outre, la dernière ligne du roman est composée de
deux couplets d'octosyllabes dérimés (le dernier vers
étant incomplet) : « Dieux doint aux trespassez sa
gloire / Et aux vivans force et victoire,/ Que ilz la
puissent conquerir. / Cy vueil l'ystoire fenir[25]. » Culture savante et culture populaire semblent donc inex-
tricablement liées dans la genèse du roman en prose,
qui semble avoir utilisé un texte en vers. Quant à
Coudrette, il précise que « l'histoire a déjà été traduite
en français et mise en vers » et cite plusieurs livres au
seigneur de Parthenay : « On a trouvé, dans la tour de
Maubergeon (du château de Poitiers), deux beaux
livres en latin, à la vérité reconnue, qu'on a fait traduire en français. Et puis cinq ou six mois plus tard,
cette même histoire a été confirmée par le comte de
Salisbury, qui possédait un livre sur le magnifique et

22. S. Roblin, « Le sanglier et la serpente : Geoffroy la Grand
Dent dans l'histoire des Lusignan », *Métamorphose et bestiaire fantastique au Moyen Age*, L. Harf éd., Paris, 1985, p. 253.

23. Voir *infra*, p. 96.

24. Jean d'Arras, *Mélusine*, trad. M. Perret, p. 15.

25. Jean d'Arras, *Mélusine*, p. 312.

puissant château de Lusignan. Ce livre contait exactement le même récit que les deux précédents. Quant à
votre livre, il est issu des trois autres, c'est ce que l'on
raconte[26]. » Coudrette aurait donc lu des livres
consacrés à l'histoire des Lusignan, en latin et en français. Le roman de Jean d'Arras est peut-être l'un
d'entre eux. Certains indices vont dans ce sens. Ainsi
Jean d'Arras applique au jugement de Dieu l'image de
l'abîme insondable, issue du Psaume 36 : « David le
prophète dit que les jugemens et punicions de Dieu
sont comme abysme sans rive et sans fons. » Coudrette reprend la même image pour les décrêts de Fortune : « Tu n'as ni rive ni fond[27]. » Mais Coudrette a
également eu un modèle en vers français. Comme le
souligne E. Roach, « son existence se déduit du fait
que, dans le texte de Coudrette, les fautes qui rendent
faux certains vers ne peuvent s'expliquer que si l'on
remonte à des formes soit verbales soit paléographi-
ques d'une époque antérieure aux plus anciens
manuscrits du texte, qui sont pourtant du premier
quart du XVe siècle[28] ». Cette première version rimée
aurait précédé le roman en prose de Jean d'Arras ; de
là la présence de vers dérimés à la fin de ce roman.

*Pourquoi deux romans consacrés à Mélusine et aux Lusi-
gnan vers 1400 ?*

On a souvent tenté d'identifier les terres conquises
par les fils de Mélusine à des fiefs des Lusignan et les

26. Voir *infra*, p. 41.
27. Jean d'Arras, *Mélusine*, p. 2 ; Coudrette, *infra*, p. 47. Cf.
Psaumes 36, 7 : « judicia tua abyssus multa ». M. Perret relève d'autres similitudes : la sentence « Bien fou qui pleure un malheur qu'il
ne peut réparer » (Jean d'Arras, p. 255, Coudrette, infra, p. 53, 101
et 148) ; « même emploi de la forme *veez ça*, très rare au début du
XVe siècle, même très fréquent emploi de la forme *Estes vous* »
(Compte rendu de l'édition Roach, *Romania* 105, 1985, p. 548).
28. Roach, p. 15. Voir L. Hoffrichter, *Die ältesten französischen
Bearbeitungen der Melusinensage*, Halle, 1928, pp. 36-38 et R. Nolan,
« The *Roman de Mélusine* : Evidence for an Early Missing Version »,
Fabula, 15, 1974, pp. 53-58.

enfants de la fée à des personnages historiques. Il est vrai que l'histoire affleure derrière le roman. La famille de Lusignan fait son apparition au IXe siècle, avec Hugues Ier Venator[29]. Hugues II construit le château au Xe siècle. Ses successeurs s'emparent petit à petit des terres voisines. Mais la gloire du lignage commence au XIIe siècle. Guy de Lusignan (fils de Hugues VIII), très représentatif des jeunes chevaliers cadets de famille qui se lancent en quête d'une épouse et d'un fief, fait une carrière fulgurante : il épouse Sibylle, fille du roi Amaury Ier de Jérusalem, et devient le neuvième roi de Jérusalem (1186-1192), perdant toutefois Jérusalem en 1187 devant Saladin, puis le premier roi de Chypre, jusqu'à sa mort, en 1194. Son frère Amaury lui succède, jusqu'à sa mort en 1205. Leurs descendants devaient régner sur Chypre jusqu'en 1473. Quant à la branche aînée, Hugues IX de Lusignan, neveu de Guy, mort en 1219, extorque au roi d'Angleterre Jean sans Terre le comté de la Marche en 1199 (en emprisonnant Aliénor d'Aquitaine, la mère du roi). Mais la branche aînée des Lusignan s'éteint en 1308 et Philippe le Bel annexe alors à la couronne de France le comté de la Marche et la seigneurie de Lusignan. Le redoutable Geoffroy la Grand Dent rappelle deux figures historiques : celles de Geoffroy Ier (mort en 1216) et de Geoffroy II de Lusignan (mort avant 1248). Geoffroy Ier eut parmi ses contemporains la réputation d'un guerrier redoutable. De 1170 à 1188, il soutient la révolte d'Henri le jeune roi contre son père Henri II, roi d'Angleterre et duc d'Aquitaine, et Richard Cœur de Lion, comte de Poitou. En 1188, il rejoint en Palestine ses frères Guy et Amaury, tout comme Geoffroy la Grand Dent rend visite à Chypre, dans le roman de Jean d'Arras, à ses frères Urien et Guy, pour y accomplir des prouesses contre les Sarrasins[30]. Geoffroy Ier devait être l'un des

    29. Voir S. Painter, « The Houses of Lusignan and Châtellerault, 1150-1250 », *Speculum*, 1955, pp. 374-384 et « The Lords of Lusignan in the XIth and XIIth centuries », *Speculum*, 1957, pp. 27-47.
    30. Jean d'Arras, *Mélusine*, pp. 212-238.

héros de la troisième croisade. Quant à Geoffroy II,
qui revendiquait des privilèges sur les domaines de
l'abbaye de Maillezais, il tua quelques moines,
incendia l'abbaye, fut excommunié et dut, en 1233,
solliciter du pape son absolution[31] : il aurait eu pour
devise : « Non est Deus » (« Il n'y a pas de Dieu »).
Mais il est plus difficile d'établir d'autres rapproche-
ments entre les figures du roman et des personnages
historiques. Certes, Jean d'Arras et Coudrette prennent soin d'attribuer aux fils de Mélusine des fiefs qui
sont ou ont été liés aux Lusignan. Le royaume de
Chypre (attribué dans les romans à Urien) était
encore gouverné par un Lusignan à l'époque de Coudrette. Quant à l'Arménie (fief de Guy, troisième fils
de Mélusine), elle avait été conquise en 1064 par les
Turcs. Un prince bagratide fonda alors en Cilicie (sur
la côte sud-est de la Turquie actuelle, au nord de
Chypre), le royaume de Petite Arménie, qui fut
conduit par plusieurs dynasties, dont la dernière, celle
des Lusignan, devait être chassée par les Turcs en
1375. Le comté de la Marche (donné à Eudes) a
appartenu à la branche aînée de Lusignan de 1199 à
1308. En outre, par la maison de Dreux (dont l'ancêtre est l'un des fils de Louis le Gros), une parenté
s'établit entre les Lusignan, les Luxembourg et les
Larchevêque[32]. Jean l'Aveugle, mort à la bataille de
Crécy en 1346, était comte de Luxembourg et roi de
Bohême. Les deux fiefs conquis par Antoine et
Renaud, dans les romans, sont donc encore liés aux
Lusignan. Enfin Coudrette souligne avec force les
liens de la famille de Parthenay, commanditaire de
son roman, avec les Lusignan. Effectivement, les Larchevêque, seigneurs de Parthenay s'allient aux Lusignan dès le XIIIᵉ siècle, par le mariage de Valence,
nièce de Geoffroy II, avec le sire de Parthenay,
Hugues Larchevêque. Et la famille de Forez (Raymond deviendra comte de Forez) est liée à celle de

31. Roach, p. 49.
32. *Ibid.*, p. 23.

Parthenay[33]. Voilà bien des indices de l'emprise de l'histoire sur le roman. Mais il est hasardeux de vouloir à tout prix poursuivre le décryptage et donner à chaque personnage du roman un modèle historique.

L'énigme des deux romans de Mélusine réside dans la date de leur composition : pourquoi la rédaction de deux romans à la gloire des Lusignan vers l'an 1400, alors que le lignage, qui a connu son heure de grandeur deux siècles plus tôt, est en pleine décadence ? On comprendrait fort bien que vers 1200, les Lusignan triomphants aient voulu justifier leur ascension par un roman généalogique et une légende d'ancêtre surnaturelle. Mais pourquoi susciter une œuvre à la gloire des Lusignan en 1393 ? Certes, les trois légendes de Mélusine, Mélior et Palestine sont autant de récits étiologiques qui justifient l'échec des Lusignan. La faute de Raymondin est liée à la décadence de la branche aînée des Lusignan, qui s'éteint en 1308. Celle du roi d'Arménie au Château de l'Epervier, qui entraîne la malédiction de tout son lignage, est présentée comme la cause directe de la disparition du royaume d'Arménie, en 1375. Enfin l'aventure inaboutie de Palestine, dont le trésor devait permettre la conquête de la Terre de Promission, peut éclairer les déboires de Guy de Lusignan au royaume de Jérusalem. Mais plus que les heurs et malheurs des Lusignan aux XIIe et XIIIe siècles, l'histoire politique des dernières années du XIVe siècle éclaire singulièrement les romans de Jean d'Arras et de Coudrette, en la personne de deux royales figures :
— celle de Jean, duc de Berry et comte de Poitou, qui a détourné à son profit la légende poitevine pour se poser en seigneur légitime du Poitou,
— celle de Léon de Lusignan, dernier roi d'Arménie, mort à Paris en 1393, et dont le triste destin affleure derrière chaque page des deux romans.

33. *Ibid.*, pp. 23-26.

Le principal dédicataire du roman de Jean d'Arras est le troisième fils du roi Jean le Bon et de Bonne de Luxembourg[34]. Jean, né en 1340, devient d'abord comte de Poitou en 1356. Mais cette même année, le désastre de Poitiers prive le nouveau comte de son comté. Le roi de France, son père, est fait prisonnier sur le champ de bataille et passera plusieurs années en Angleterre, en attendant le paiement de sa rançon. Le traité de Brétigny, en 1360, rend à l'Angleterre la grande Aquitaine, avec le comté de Poitou. En 1364, Jean se fait octroyer par son frère Charles V le Berry et l'Auvergne érigés en duché-pairie. Charles V entreprendra bientôt la reconquête des territoires perdus : en 1368, il prononce la confiscation de l'Aquitaine. Les opérations commencent en 1369 et Jean de Berry reçoit à nouveau de son frère l'apanage de Poitou : à lui de le reconquérir sur le Prince Noir, fils aîné du roi d'Angleterre Edouard III. Ce sera l'objet de la campagne de Poitou. En 1372, Jean de Berry, du Guesclin et Louis de Bourbon lancent une campagne en Poitou. Les villes poitevines s'ouvrent une à une : Sainte-Sévère, Chauvigny, Poitiers, La Rochelle, Thouars. Le traité de Loudun, le 15 décembre, rend le Poitou et la Saintonge à la couronne de France. Charles V renouvelle à son frère la cession du comté de Poitou. Mais les Anglais tiennent encore plusieurs places fortes, dont Chizé, Niort, Château-Larcher, Gençay et surtout Lusignan[35]. Car Lusignan est l'une des plus puissantes forteresses du Poitou. Aprement disputée depuis le début des hostilités, elle passe et repasse d'un camp à l'autre : sans Lusignan, on ne possède pas le Poitou. Le 12 mars 1373, le duc de Berry met le siège devant la place-forte, qui ne tombera que le 1er octobre 1374. Il obtient cette reddition

34. F. Lehoux, *Jean de France, duc de Berri, sa vie, son action politique*, Paris, Picard, 4 vol., 1966-1968.
35. F. Lehoux, I, p. 297 et R. Favreau, *Poitiers à la fin du Moyen Age*, Poitiers, 2 vol., 1978, I, p. 177. Chizé, Niort, Château-Larcher tomberont en mars 1373. Gençay, dernier bastion anglais, tombera après Lusignan, en février 1375.

au prix de laborieuses négociations et de ruineuses dépenses : rachetant le château contre tous les prisonniers faits au cours du siège, il s'est engagé à payer les rançons dues par les Anglais. C'est dire l'importance qu'il attache à la forteresse. Les affrontements continueront d'ailleurs en Poitou après cette campagne et, en 1392, quand Français et Anglais tentent, aux conférences d'Amiens, de trouver les bases d'une paix durable, le Poitou figure parmi les provinces revendiquées par les Anglais. Or Jean d'Arras rédige précisément son roman à cette période, alors que le duc de Berry craint de voir le Poitou lui échapper une nouvelle fois. C'est dans cette crainte et dans cette volonté d'affirmer la légitimité de son pouvoir sur le comté que réside la clef du roman en prose. Jean d'Arras raconte d'ailleurs, dans l'épilogue, le siège de Lusignan en 1374 et l'apparition de Mélusine au gouverneur anglais de la place, Cersuelle, signe que Lusignan changera bientôt de maître. Il rappelle que « depuis qu'elle a été fondée, cette forteresse [...] ne restera pas trente ans accomplis entre les mains de quelqu'un qui n'appartiendrait pas, par son père ou par sa mère, à la lignée des Lusignan[36] ». C'est faire du duc de Berry l'héritier de Mélusine. Or Jean de Berry, fils de Bonne de Luxembourg, est lié aux Lusignan : vers 1390, Jean de Luxembourg, seigneur de Beaurevoir, avait épousé Marguerite d'Enguyen, descendante de Hugues Ier de Lusignan, roi de Chypre (1205-1218)[37]. Jean de Berry récupère ainsi la légende, se posant en libérateur, en seigneur légitime de Lusignan et du comté de Poitou et en descendant de la fée. Et la serpente figurera en bonne place au-dessus des murailles du château de Lusignan, dans les *Très Riches Heures du duc de Berry*. L'intérêt du duc pour Mélusine éclaire en outre la naissance du roman de Coudrette, quelques années plus tard. Coudrette a commencé son roman à la

---

36. Jean d'Arras, *Mélusine*, trad. M. Perret, pp. 304-305.
37. La Chesnaye-Desbois, *Dictionnaire de la noblesse*, Paris, 1868, XII, p. 599 ; L. Stouff, *Essai sur Mélusine, roman du XIVᵉ siècle par Jean d'Arras*, Dijon, 1930, p. 173.

demande de Guillaume Larchevêque, seigneur de Parthenay, qui meurt le 17 mai 1401, alors que le roman est
inachevé. Il continue son œuvre pour le fils de Guillaume, Jean de Mathefelon (mort en 1427). Or Guillaume était depuis 1372 (date à laquelle, abandonnant
le parti anglais, il s'était « tourné Français »), un fidèle
serviteur du duc de Berry : c'est lui que le duc avait
envoyé à Paris en 1374, pour emprunter au roi les six
mille francs qui devaient racheter Lusignan. Après le
roman de Jean d'Arras, il était glorieux, pour un seigneur de Parthenay, de revendiquer, comme le duc de
Berry, sa parenté avec Mélusine, avec les Lusignan et
avec la maison royale. Coudrette souligne d'ailleurs les
liens qui unissent Jean de Mathefelon aux deux
lignages : « C'est le plus noble roi du monde que le roi de
France ; or le seigneur de Parthenay est son cousin de
par sa mère. Et par son père, il est parent du roi de
Chypre et d'Arménie et du noble lignage de la fée
Mélusine[38]. » Guillaume Larchevêque, sire de Parthenay, a voulu imiter le duc de Berry dans une œuvre
composée à la gloire des Parthenay.

Mais la guerre franco-anglaise et la reconquête du
Poitou ne constituent qu'une partie de l'arrière-plan
historique du roman. La seconde clef du texte, c'est le
mythe de la croisade au XIVe siècle, incarné ici par
Léon de Lusignan. Car le couple seigneurial de Lusignan, Mélusine et Raymondin, n'occupe qu'une place
restreinte dans le roman. Coudrette, comme Jean
d'Arras, fait la part belle aux exploits épiques des fils
de la fée qui, parvenus à l'âge d'homme, partent à la
conquête d'une terre. Urien et Guy font voile vers
l'Orient pour prêter main forte au roi de Chypre
contre les Sarrasins, bientôt rejoints par Geoffroy.
Antoine et Renaud affronteront le roi païen de Cracovie. Les fils de Mélusine font figure de défenseurs
de la Chrétienté. Or de nombreux projets de croisade,
élaborés au Proche-Orient et en Europe au début du
XIVe siècle, furent interrompus par la guerre franco-

38. Voir *infra*, p. 149.

anglaise. A la fin du siècle, un homme se fait, à Paris, le chantre de la croisade : Philippe de Mézières[39]. Chancelier de Chypre, il suit le roi Pierre Ier de Lusignan dans sa tournée des cours occidentales, de 1362 à 1365, pour rallier les princes à la cause de la croisade. Après l'assassinat du roi de Chypre, en 1369 — que mentionne Jean d'Arras[40] —, il s'établit à la cour de Charles V et, à la mort du roi en 1380, se retire au couvent des Célestins. A partir de 1384, il est secondé dans son apologie de la croisade par Léon de Lusignan, dernier roi d'Arménie. La couronne du royaume de Petite Arménie était en effet entrée dans la maison des Lusignan de Chypre. Mais le roi avait été capturé avec sa famille par l'émir d'Alep lors de la reddition de Sis, sa capitale, en 1375, détrôné et emprisonné de 1375 à 1382 au château du Caire. Le franciscain Jean Dardel, son confesseur et son secrétaire de 1377 à 1384, raconte l'intervention des rois d'Aragon et de Castille, qui achètent la libération du roi déchu, l'arrivée de celui-ci en Europe, ses allées et venues de cour en cour pour obtenir de l'aide et reconquérir son royaume[41]. En 1383, Léon de Lusignan séjourne à Avignon, où il reconnaît Clément VII comme pape légitime, ainsi qu'en Aragon et en Castille. L'année 1384 le voit rendre visite au roi de Navarre, au comte de Foix. Le 30 juin, il est reçu à Paris par Charles VI : « En ce temps » (dit Froissart), « on eut d'autres nouvelles en France : le roi Léon d'Arménie arriva non pas en grand équipage, mais en roi chassé et rejeté de son pays ; car tout le royaume d'Arménie, dont il se disait roi, avait été pris et conquis, à l'exception d'une place-forte située sur la mer, nommée Le Courc[42]. » Charles VI et ses oncles

39. N. Jorga, *Philippe de Mézières et la croisade au XIVe siècle*, Paris, 1896.

40. Jean d'Arras, *Mélusine*, éd. L. Stouff, p. 310.

41. Jean Dardel, *Chronique d'Arménie*, Recueil des historiens des croisades, documents arméniens, II, Paris, 1906, chap. 137, p. 103.

42. Froissart, *Chroniques*, livre III, Société de l'Histoire de France, tome 12, p. 206.

accueillirent généreusement le roi d'Arménie. « Le roi
de France et son conseil eurent grand pitié de lui, qui
était venu des confins de la Grèce pour demander aide
et secours. C'était aussi un roi, et on l'avait chassé de
son royaume, et à présent il n'avait plus de quoi vivre
et soutenir son état : il le disait bien dans ses plaintes.
Le roi de France déclara, comme le jeune homme
qu'il était : "Nous voulons que le roi d'Arménie, qui
est venu nous voir d'un pays aussi lointain que la
Grèce pour nous témoigner son amour, soit suffisam-
ment aidé et secouru sur notre bien pour qu'il puisse
soutenir l'état qui lui revient, à lui qui est roi comme
nous. Et quand nous pourrons organiser un voyage et
trouver les hommes d'armes, nous le secourrons et
l'aiderons à reprendre son héritage. Nous en avons la
ferme volonté, car il nous revient de relever la foi
chrétienne." La parole du roi de France fut bien
entendue de tous, comme de juste ; nul ne s'y opposa,
et ses oncles et son conseil ne demandaient qu'à obéir,
et même au-delà[43]. » Le roi d'Arménie se voit allouer
une pension de six mille francs et la maison de Saint-
Ouen. Dès 1385, son activité diplomatique est considérable. Il veut apaiser le différend franco-anglais et
relancer la croisade, et chemine entre Paris et Londres
en 1386 et 1387. Du 18 juin 1389 au 10 août 1392
(c'est-à-dire pendant que Jean d'Arras rédige son
roman), la trêve de Leulinghem suspend les hostilités.
Au printemps 1392, Léon de Lusignan assiste aux
conférences d'Amiens, entre Charles VI et ses oncles,
et les Anglais conduits par le duc de Lancastre. Une
autre conférence se tient à Leulinghem d'avril à juin
1393, entre les ducs de Berry et Bourgogne d'une
part, les ducs de Lancastre et Gloucester de l'autre.
Toutes ces conférences sont aussi peu fructueuses les
unes que les autres et Léon de Lusignan s'éteint à
Paris, le 29 novembre 1393. Comment donc Jean
d'Arras, qui achève le 7 août 1393, « la noble histoire
de Lusignan », ne serait-il pas hanté par la figure de ce

43. *Ibid.*, pp. 223-224.

proche de Jean de Berry qu'était le roi d'Arménie ?
Mélior évoque explicitement Léon de Lusignan, quand
elle mentionne le roi d'Arménie « qui portera le nom
d'une bête sauvage » (le lion) « et qui perdra son royaume[44] ». Le dernier roi d'Arménie n'a jamais reconquis
son trône. L'appel en faveur de la croisade a toutefois
trouvé bien des échos dans les années 1390. Au printemps 1390, le duc Louis II de Bourbon conduit une
brève expédition en Afrique. Philippe de Mézières
enrôle, entre 1390 et 1395, plus de quatre-vingts chevaliers dans son Ordre de la Passion de Jésus-Christ,
parmi lesquels les ducs de Berry, Bourbon, Orléans,
Lancastre, Gloucester et York. Enfin, en septembre
1396, la croisade lancée par le roi de Hongrie contre le
sultan Bajazet aboutit au désastre de Nicopolis, le pire
depuis Roncevaux, selon Froissart[45]. C'est dans ce
contexte que Coudrette prend la plume. Léon de Lusignan est à nouveau évoqué, dans la malédiction de
Mélior, comme le dernier des rois d'Arménie, qui « portera le nom du roi des animaux[46] ». Le narrateur prend
ensuite la parole pour apporter son témoignage : il a vu
venir en France le roi chassé de son royaume ; il a assisté
à ses funérailles et partagé la stupeur des spectateurs
devant les vêtements blancs portés par les Arméniens.
Mais l'originalité du roman en vers réside dans l'histoire
de Palestine, enfermée dans le Mont Canigou avec son
trésor qui permettra de délivrer la Terre Sainte. Jean
d'Arras se contente d'annoncer l'aventure dans son
prologue[47], Coudrette la développe longuement à la fin
de son roman, faisant de Geoffroy la Grand Dent, mort
trop tôt pour accomplir ce dernier exploit, le héros
manqué de cette aventure réservée à un Lusignan.

44. Jean d'Arras, *Mélusine*, p. 305.
45. Froissart, *Chroniques*, livre IV, éd. Kervyn de Lettenhove,
tome 15, p. 316.
46. Voir *infra*, p. 138.
47. Jean d'Arras, *Mélusine*, trad. M. Perret, p. 27 : « Et toi, Palestine, tu seras enfermée dans la montagne du Canigou avec le trésor
de ton père, jusqu'au jour où un chevalier de votre lignage y
viendra, qui obtiendra le trésor, l'utilisera pour conquérir la Terre
Promise et te délivrera. »

Quand Jean d'Arras, en 1393, faisait d'un Lusignan le
héros d'une future croisade, il pensait peut-être à Léon
de Lusignan. Voilà pourquoi le roman ne dénoue pas
l'aventure : c'est à l'histoire de le faire. Coudrette ne
peut plus appliquer la prophétie au roi d'Arménie. Mais
le mythe de la croisade est encore très fort dans le roman
en vers. La prophétie peut encore se réaliser. La situation du Proche-Orient préoccupe toujours l'Occident.
En 1399, l'empereur de Constantinople vient
demander de l'aide à Paris et à Londres. Un Lusignan
peut encore rallumer en Terre Sainte le flambeau des
rois de Jérusalem, de Chypre et d'Arménie. A qui songe
Coudrette ? au présent roi de Chypre ? à son propre
seigneur, Jean de Mathefelon ? Mélusine et Mélior,
tournées vers le passé, éclairent les malheurs des Lusignan. En Palestine se trouve peut-être le renouveau du
lignage.

Les deux romans français étaient voués à une belle
fortune. Le 29 janvier 1456, le Suisse Thüring von
Ringoltingen achevait une traduction en prose allemande de l'œuvre de Coudrette. Elle sera imprimée dès
1474 à Augsbourg, par Jean Baëmler, puis les éditions
se succéderont régulièrement à la fin du XVᵉ et tout au
long du XVIᵉ siècle (vingt-quatre éditions de 1478 à
1587)[48]. On voit surgir des traductions anglaises, fla-
mandes, danoises, suédoises, tchèques, espagnoles. La
première édition en français est imprimée à Genève en
1478 par Adam Steinschaber : c'est le premier livre
illustré imprimé en français, avec *Le Miroir de la rédemp-
tion de l'humain lignage*, imprimé le 26 août 1478 à
Lyon, par Martin Husz[49]. Le texte n'est toutefois plus

48. Thüring von Ringoltingen, *Melusine*, éd. K. Schneider,
Berlin, 1958 ; E. Pinto-Mathieu, *Le Roman de Mélusine de Coudrette
et son adaptation allemande dans le roman en prose de Thüring von
Ringoltingen*, Göppingen, 1990.
49. Cette édition a été reproduite en fac-similé par la Société
suisse des bibliophiles à Berne en 1923 (préface de W. Meyer) et à
Genève en 1978, à l'occasion de l'exposition *Le livre à Genève de
1478 à 1978*.

celui de Coudrette mais le roman en prose de Jean d'Arras. Et, dès sa parution, il bénéficie d'un succès ininterrompu tout au long du XVIᵉ siècle (on dénombre vingt-deux éditions de 1478 à 1597), puis au-delà, avec son entrée dans la Bibliothèque Bleue de Troyes au XVIIᵉ siècle[50]. L'œuvre de Jean d'Arras a même donné naissance, à partir de 1520, à deux romans : le *Roman de Mélusine* et le *Roman de Geoffroy à la grand dent*. La popularité des deux romans ne s'est pas démentie au XIXᵉ siècle, puisque Mélusine et son fils figuraient encore dans la collection des *Romans de Chevalerie,* ou *Nouvelle Bibliothèque Bleue,* qu'Alfred Delvau publia à Paris en 1869.

Deux siècles après le premier siège de 1374, le château de Lusignan devait subir en 1574, pendant les guerres de religion, un second siège, si rude qu'Henri III le fit démolir en 1575. La tour Mélusine, qui avait survécu, fut rasée à son tour en 1622. Mais la merveilleuse histoire de Mélusine est à jamais sauvée de l'oubli par les romans de Jean d'Arras et de Coudrette, et la fée hante toujours son château sur l'une des plus fameuses miniatures des *Très Riches Heures du duc de Berry.*

Laurence HARF-LANCNER.

50. Voir L. Harf, « Le *Roman de Mélusine* et le *Roman de Geoffroy à la grand dent* : les éditions imprimées de l'œuvre de Jean d'Arras », *Bibliothèque d'Humanisme et Renaissance,* 50, 1988, pp. 349-366, et A. Morin, *Catalogue descriptif de la Bibliothèque Bleue de Troyes,* Genève, 1974.

LE ROMAN DE MÉLUSINE

Prologue

Il était sage, le philosophe qui dit, à la première
page de sa noble *Métaphysique*, que l'homme applique
naturellement son intelligence à comprendre, à
apprendre et à savoir[1]. Voilà une parole pleine de
sagesse, car toute intelligence humaine désire parvenir
à savoir ce qu'elle ne sait pas, pour son bien ou pour
son malheur, surtout quand elle est directement
concernée. On aime entendre raconter les histoires
d'un lointain passé, pourvu qu'elles soient bonnes et
belles, plus encore que les nouveautés. Ne parlons-
nous pas sans cesse du roi Arthur, qui mettait à
l'épreuve la valeur des nobles et bons chevaliers ? On
parle toujours de lui aujourd'hui, tout comme de Lancelot à la renommée sans pareille, de Perceval et de
Gauvain, dont le cœur n'était jamais las de conquérir
honneur et gloire. Ils avaient bien raison de vouloir
chercher et connaître, et par les terres et par les mers,
les merveilleuses aventures qui échoient aux créatures.
Le savoir est une excellente chose : tout comme la
rose est la plus belle de toutes les fleurs, la science
surpasse toutes les autres vertus. Qui ne sait rien ne
vaut rien, et il convient à tout homme de bien de
s'intéresser aux histoires qui sont de lointaine

1. La *Métaphysique* d'Aristote s'ouvre sur cette phrase : « Tous les
hommes ont par nature le désir de connaître. »

mémoire. Et plus sa naissance est élevée, plus il doit savoir, de génération en génération, qui sont ses ancêtres, barons, comtes ou ducs, pour en préserver longtemps le souvenir. C'est le devoir de tout grand seigneur, ainsi que de faire mettre par écrit leur histoire, afin qu'on en garde toujours la mémoire. Si je parle ainsi, c'est qu'un grand seigneur du Poitou (Dieu le bénisse !), le sire de Parthenay, auprès de qui je m'étais rendu[2], me donna récemment cet ordre, de sa propre initiative. Il avait tout pouvoir de me donner des ordres et ce n'est pas moi qui le contredirais, car chacun sait et peut bien voir qu'on doit obéir aux seigneurs, sous peine de manquer de sagesse. Il me dit, dans son doux langage, de prendre modèle sur un livre, qu'il me donna : il l'avait fait écrire pour savoir exactement qui bâtit le noble château de Lusignan, ainsi que la ville, car c'est une prodigieuse forteresse. Je lui répondis alors :

— Je ne demande, monseigneur, qu'à obéir à vos ordres !

— Ne vous pressez pas ! répondit-il : vous avez tout le temps nécessaire devant vous. Le château a été construit par une fée, comme on le raconte partout, et je descends de cette fée, moi et tout le lignage de Parthenay, n'en doutez pas ! Elle se nommait Mélusine, et c'est d'elle que nous viennent nos armoiries. Nous aimons évoquer son souvenir. Et afin d'en conserver la mémoire, vous mettrez en vers cette histoire. Je tiens à ce qu'on la mette en vers : on pourra plus vite l'entendre réciter.

— Monseigneur, dis-je alors, je m'y accorde, je suis tout prêt à obéir à vos ordres. Je ferai tout mon possible, mais je ne veux pas en récolter la louange, si louange il y a, car l'histoire a déjà été traduite en français et mise en vers, à ce que l'on dit : ce serait donc pour moi une honte que de me vanter d'une œuvre qui a déjà été écrite. Mais je ferai tout mon

2. Au vers 50, la forme isolée *je asserray* a été corrigée en *je assenay* d'après les autres manuscrits.

possible, si Dieu le veut, pour lui donner une forme qui vous plaira mieux, si j'y parviens, puisque vous n'aimez pas l'autre et que vous souhaitez me voir suivre les livres qu'on a trouvés et dont l'histoire est reconnue authentique. D'ailleurs, pour abréger mon discours, on a trouvé, dans la tour de Maubergeon, deux beaux livres en latin, à l'authenticité reconnue, qu'on a fait traduire en français[3]. Et puis cinq ou six mois plus tard, cette même histoire a été confirmée[4] par le comte de Salisbury, qui possédait un livre sur le magnifique et puissant château de Lusignan. Ce livre contait exactement le même récit que les deux précédents. Quant à votre livre, il est issu des trois autres, c'est ce que l'on raconte. Et si je le sais, c'est que je l'ai déjà vu. J'appliquerai donc tout mon talent à le mettre en bonne forme, et que le doux Jésus-Christ me permette d'écrire un bel ouvrage !

Puis je pris congé de mon seigneur (Dieu lui donne joie et honneur !) et vins tout droit au magnifique château de Lusignan : vous allez bientôt en entendre l'histoire, pourvu que le doux Roi de Gloire veuille m'en donner l'inspiration, car sans lui on ne fait rien, pas plus en français qu'en hébreu. Toute science vient de Dieu, source claire où tout artiste puise l'œuvre qui lui vient à l'esprit : de Dieu viennent toutes ses bonnes pensées. Nul n'a de science qui ne lui vienne de Dieu. Je lui demande de tout mon cœur de bien vouloir répondre à mon besoin, et que sa Glorieuse Mère veuille bien guider mon récit et me permettre de

3. Il s'agit de la tour Maubergeon du château de Poitiers. On trouve effectivement dans les inventaires de la bibliothèque du duc de Berry « un livre de l'Istoire de Lesignem en latin, de lettre courant [...] Item un autre livre de l'Istoire de Lesignem, escript en latin, de lettre de fourme, bien historié » (Inventaires de 1414 et 1416), ainsi qu'« un livre appellé Melusine selon les vraies croniques furnies par Jean duc de Berry, écrit en français, rymee » (inventaire de 1416) (L. Stouff, *Essai sur Mélusine*, p. 3 et p. 47). Le roman français en vers ne saurait être l'œuvre de Jean d'Arras. Il peut s'agir du roman de Coudrette ou du roman en vers antérieur dont il mentionne l'existence.

4. Au vers 107, la forme isolée *autry* (de *otroier*) a été corrigée en *avery* (ms BFGM).

mener à son terme cette œuvre que je veux livrer à
tous, pour le plaisir de mon bon seigneur (Dieu lui
donne joie et honneur, et à la fin la joie parfaite !).
Ainsi se clôt notre prologue.

Raymondin et Mélusine

Dans les temps anciens, après l'époque d'Octavien,
vivait en Poitou, c'est la vérité, un noble comte fort
réputé, aimé et chéri de tous, qui se nommait
Aymeri. Il était savant en astronomie et en bien d'autres sciences ; il connaissait presque par cœur le droit
canon et civil, et c'était pourtant un laïc, ce qui ren-
forçait son mérite. Il n'était pas meilleur astronome
parmi les chrétiens : il s'y connaissait mieux que quiconque, hormis Celui qui nomme toutes les étoiles
par leur nom. C'était un très puissant seigneur,
comblé de tous les biens de ce monde. Il goûtait fort
la chasse, au cerf comme au sanglier. Ce noble comte
de Poitiers avait de son épouse un beau fils qu'il
aimait tendrement, ainsi qu'une douce fille au nez
régulier, à la bouche bien faite : elle était belle et
douce et se nommait Blanchette ; quant au fils, il
avait nom Bertrand. Le comte chérissait ses enfants.
La Rochelle n'existait pas encore, ni ses fondations,
ni ses bâtiments. Le Poitou était couvert de bois, de
grandes forêts, et les arbres étaient touffus dans la
forêt de Colombiers, tout près de Poitiers. Il y avait
alors en Forez un comte qui avait un grand nombre
d'enfants. Il n'était pas très riche mais menait une vie
exemplaire et se comportait avec sagesse, réglant ses
dépenses sur son avoir ; et sa noble conduite lui
valait l'amour de tous. C'était un cousin du comte
Aymeri. Celui-ci avait entendu dire qu'il avait abondance d'enfants, et fut pris du désir de le soulager de
sa charge. Il organisa donc sans tarder une grande
fête à Poitiers, la plus magnifique qu'on eût jamais
vue. Le comte de Forez y fut invité sur l'ordre du
comte Aymeri, et avec lui tous les barons qui

tenaient leur fief du noble comte de Poitiers : ils
vinrent tous volontiers, au jour fixé. Le comte de
Forez amena ce jour-là trois de ses fils pour faire
honneur à son cousin, avec une suite superbe. Le
comte de Poitiers, tout joyeux de voir son cousin, lui
fit fête et l'accueillit de son mieux. Le bon comte
Aymeri se mit à regarder les trois enfants, et se prit
d'amitié pour le plus jeune, qu'il devait depuis garder
auprès de lui. Il dit avec bonté à son cousin :

— Ecoutez, cher cousin ! J'ai entendu dire par vos
voisins que vous êtes chargé d'enfants : il serait bon de
vous soulager de votre charge. Donnez-moi l'un
d'entre eux, et il n'aura pas à se plaindre de son sort :
j'aurai tant d'égards pour lui que je le rendrai riche
pour toujours !

— Seigneur, dit le comte de Forez, vous ferez des
trois votre bon plaisir et je vous en remercie humblement : il ne serait pas juste que je refuse votre offre.
Les voici tous trois devant vous : faites-en ce que bon
vous semble, prenez celui que vous voudrez, nul ne
discutera votre décision !

— Vous me donnerez donc le plus jeune, car j'ai de
l'amitié pour lui !

— Bien volontiers ! répondit le comte de Forez.
Puisque c'est lui que vous voulez, vous l'aurez : pre-
nez-le, il est à vous !

— Cher cousin, dites-moi son nom, s'il vous plaît !

— Seigneur, on le nomme Raymondin, le beau, le
doux, le courtois Raymondin, le mieux appris des
trois[5] !

5. Pour désigner le héros, Jean d'Arras et Coudrette emploient
deux formes : *Raymondin* et *Raymond*. Dans le roman en prose, le
héros est d'abord nommé *Raymondin* (diminutif de *Raymond*) jusqu'à la fondation de Lusignan et au départ de ses fils devenus
chevaliers. Devenu un puissant seigneur, il est nommé *Raymond*. Le
changement de nom est donc lié à un changement de statut social et
à un passage de la jeunesse à l'âge mûr. Mais cette distinction
n'apparaît pas dans le roman en vers. Les deux formes semblent
employées indifféremment, selon les nécessités métriques. Pour
éviter le passage constant de l'une à l'autre, on a retenu dans la
traduction la forme *Raymondin*, qui souligne la dépendance du
héros à l'égard de la fée.

A la fin de la fête, deux jours plus tard, après le repas, le comte de Forez prit congé. Les trois frères s'embrassèrent en se recommandant à Dieu : ils souffraient de se séparer. Raymondin resta avec son seigneur ; il le servait du mieux qu'il pouvait et savait bien se conduire. Le noble comte Aymeri l'aimait et le chérissait pour le dévouement avec lequel il le servait. Raymondin accomplissait parfaitement son devoir. Le comte n'allait nulle part sans lui, nul serviteur ne lui était aussi cher : il est vrai qu'il était son cousin. Mais mal devait lui en advenir, car Raymondin devait le tuer, le renverser, mort, à terre, par la faute de Fortune, toujours avide de perfidie, qui ne craint rien ni personne et suscite de merveilleuses aventures, comme vous allez l'apprendre.

A Poitiers, le comte Aymeri, aimé et chéri de ses hommes, apprécié des petits comme des grands, allait souvent chasser dans la forêt de Colombiers. Cinq ou six ans s'écoulèrent ainsi. Un jour, il partit pour la chasse, accompagné de nombreux chevaliers, ses amis les plus chers, qui devaient participer à la fête. Il pénètre dans la forêt. Raymondin chevauche à ses côtés sur un coursier, portant, comme le dit l'histoire, l'épée du noble comte. Alors commence une violente poursuite. La bête entraîne les rabatteurs à ses trousses, s'enfuit devant les chiens qui la chassent à vive allure. Le comte suit, éperonnant, allant au-devant d'un terrible malheur que je vais vous raconter : il ne devait plus jamais revenir. Raymondin le suit du mieux qu'il peut, ne voulant pas le laisser. Tous deux pourchassent si bien le sanglier dans la forêt de Colombiers qu'ils voient bientôt la lune se lever dans le ciel. Le sanglier leur avait tué plusieurs chiens, les renversant, morts, à terre. La suite du comte, plus de vingt hommes, ne savait ce qu'il était devenu, car il chevauchait au grand galop. Il dit alors à Raymondin :

— Venez donc ! nous avons perdu nos chiens comme nos hommes, nous ne savons pas où ils sont. A quoi bon retourner sur nos pas ? nous ne saurions les retrouver. Que faire ? Qu'en pensez-vous ?

— Seigneur, dit Raymondin, allons dans un abri, près d'ici, où nous serons pour aujourd'hui en sûreté !

— C'est bien parler ! répond le comte. Faisons comme vous le proposez, puisque la lune est déjà levée !

La soirée était belle et claire, les étoiles brillaient si fort qu'elles illuminaient tout le bois. Ils se mettent à cheminer à la clarté de la lune, traversant le bois, par endroits effrayant. Mais ils découvrent alors un beau chemin qu'ils commencent à suivre. Le comte dit :

— Raymondin, ce sentier mène à Poitiers, je crois. Qu'en pensez-vous ? Est-ce bien vrai ?

— Je le crois aussi, dit Raymondin. Chevauchons donc, à la grâce de Dieu ! Si tard que nous arrivions, nous pourrons toujours entrer dans la ville. Nous rencontrerons peut-être des hommes à vous qui pourront nous guider.

— Allons ! dit le comte, je m'y accorde.

Ils se mettent donc en chemin. Le comte commence à observer les étoiles qui brillaient clair et illuminaient le ciel. C'était un savant astronome qui connaissait parfaitement cette science. En observant le ciel, il remarque une étoile : il y voit une merveilleuse aventure, qui devait lui être bien cruelle. Mais s'il peut y lire l'annonce du bonheur d'un autre, il n'y découvre pas son propre malheur. Il pousse de profonds soupirs, se met à se tordre les poings.

— Dieu, dit-il, qui créas les anges, que tes merveilles sont étranges ! Les décrets de Fortune sont imprévisibles. Vrai Dieu, pourquoi fait-elle grandir un homme destiné à faire le mal ? Qu'elle est cruelle ! Il arrive pourtant, je le vois bien, que du mal naisse un grand bien : je le vois clairement dans ces étoiles. Raymondin, dit-il, écoute-moi : je découvre là un grand prodige.

— Quoi donc, seigneur ? lui répond le jeune homme dans sa naïveté.

— Je vais te le dire. Sache en toute certitude et sans le moindre doute, que si un vassal tuait son seigneur à cette heure même, il deviendrait plus grand et beaucoup plus puissant qu'aucun de ses parents. Son pouvoir s'étendrait en tous lieux, il gagnerait l'amour de tous et dominerait tous ses voisins. C'est la vérité, sache-le, cher cousin !

Raymondin ne répond pas un mot ; tout pensif, il met pied à terre, amoncelle du bois qu'il trouve sur place, laissé par des bergers, du petit bois et des bûches, avec un reste de feu. Il prend le bois, allume le feu, car il ne faisait pas très chaud. Le comte saute à terre pour se réchauffer. Alors ils entendent des arbres se briser dans le bois. Raymondin saisit son épieu, le comte en fait autant. Ils s'éloignent du feu clair et voient venir sur eux, à une vitesse prodigieuse, un sanglier qui martelle tout de ses dents sur son passage, écumant de fureur. A sa vue, Raymondin crie au comte :

— Monseigneur, sauvez votre vie, montez vite dans un arbre !

Mais le comte répond avec force :

— On ne m'a jamais reproché, et on n'est pas près de le faire, Dieu merci ! d'avoir fui devant un fils de truie !

A ces mots, Raymondin, très inquiet, se jette au-devant du sanglier, l'épieu à la main. Le comte s'apprête à lancer son épieu, mais au moment où il baisse son arme, le sanglier s'élance sur lui : le comte devait par malheur trouver la mort. Impétueusement, le comte frappe le sanglier à l'épaule, sur l'armure[6], mais ne parvient pas à planter son épieu et tombe, face contre terre. Raymondin s'élance sur la bête et veut lui enfoncer son arme dans le corps. Mais son épieu glisse sur le dos de l'animal et vient frapper le comte en plein ventre : tout le fer de l'arme s'enfonce, aigu et tranchant, et lui perce les entrailles. Raymondin retire son épieu, frappe la bête, l'abat morte à terre, avant de revenir à son seigneur, qu'il n'aurait abandonné pour rien au monde. Mais il le trouve mort : il a rendu l'âme. Dieu veuille prendre pitié de cette âme, car

6. L'*écu* désigne la peau épaisse que les sangliers ont sur les épaules, et que l'*Encyclopédie* nomme armure (Ed. Roach, p. 354).

c'était un brave et un homme de bien, le meilleur d'ici jusqu'à Rome ! Raymondin se met à pleurer, à se battre la poitrine, torturé de remords.

— Hélas, dit-il, Fortune perfide, que tu m'es félone et hostile ! Tu es cruelle et sans pitié ! Il faut être plus fou qu'une bête pour se fier jamais à toi, car tu ne sais que tromper. Tu ne connais pas l'amitié ; tu es douce à l'un, amère à l'autre. Nul ne doit se fier à toi. D'un homme de peu tu fais un roi, du plus riche tu fais un pauvre homme. Tu n'as ni rive ni fond[7] ; tu aides l'un pour détruire l'autre. Hélas ! malheureux que je suis, mon sort le montre bien ! Tu m'as détruit entièrement et damné à tout jamais, si Jésus-Christ le charitable, le bon, le doux, le pitoyable, n'a pitié de ma pauvre âme !

Raymondin alors s'évanouit et reste ainsi une bonne heure sans parler, puis, revenant à lui, recommence son deuil. Regardant son seigneur qui gît mort, déjà froid, il s'écrie :

— Mort, viens vite, sans tarder ! Viens me prendre, il en est temps ! Je suis perdu d'âme et de corps. Mon cher seigneur, qui gît là, mort, je l'ai tué par mon grand crime. Mort, viens vite, c'est le moment ! Viens vite, ou je vais me tuer ! Me tuer ? Non, par Dieu, non ! Que Dieu, mon cher père, empêche un chrétien de tomber dans le désespoir ! Mais je maudis l'heure de ma naissance, je regrette d'avoir tant vécu ! Mieux eût valu être mort-né qu'ainsi damné ! Hélas ! mon seigneur, mon cousin, je vaux bien moins qu'un Sarrasin qui croit en la loi de Mahomet !

Il remonte alors à cheval, sans plus attendre, après avoir posé son cor sur le cadavre de son seigneur. Misérable, il s'en va par la forêt, plein de douleur et d'angoisse. Il lâche les rênes, laisse aller son cheval à l'aventure. Il se torture et se maudit ; peu s'en faut qu'il ne se tue. Livide, il ne cesse de mener son deuil. Chevauchant dans cet état, il finit par s'approcher de

---

7. Cf. Jean d'Arras, *Mélusine*, p. 2 : « David le prophete dit que les jugemens et punicions de Dieu sont comme abysme sans rive et sans fons » (*Psaumes* 36, 7).

la fontaine de Soif Jolie, qu'on dit fréquentée par les
fées. Triste et épuisé, il va droit sur elle. Son cheval
livré à lui-même, la bride sur le cou, emprunte un
sentier et mène son cavalier à la fontaine. Raymondin
passe vite son chemin, sans s'arrêter, emporté au
galop de son cheval, plongé dans son désespoir.

Or il y avait, près de la fontaine aux eaux claires et
pures, trois dames de grand pouvoir. Mais tout pris
par ses pensées douloureuses, Raymondin, en passant,
n'en voit aucune. L'une d'elles alors prend la parole,
la plus noble, la plus gracieuse, la plus belle :

— Jamais dans toute ma vie, je n'ai vu un chevalier
passer devant des dames sans les saluer : je vais aller
lui parler.

Elle vient à lui, saisit la bride et lui dit sans ambages :

— Au nom de Dieu, chevalier, votre conduite n'est
pas celle d'un homme de noble naissance. Vous passez
devant nous trois sans nous adresser un mot : ce n'est
guère courtois !

Lui, tout à sa douleur, tressaille et, apercevant la
dame, la prend pour une apparition. Il ne sait s'il dort
ou s'il est éveillé ; livide comme un mort, il ne répond
mot, la douleur l'empêche d'entendre. La dame aussitôt reprend la parole et lui dit avec force :

— Comment, Raymondin ? Qui donc vous a
enseigné à refuser d'adresser la parole à une demoiselle ou à une dame que vous rencontrez ? C'est là le
fait d'un vilain ! Vous devriez allier la douceur et la
courtoisie à l'honneur. Vous vous déshonorez, vous
qui êtes de noble nature, en laissant votre cœur renier
sa nature !

Raymondin l'entend, la regarde, tout ébahi de
s'apercevoir qu'on tient la bride de son cheval. Mais
quand il voit qui le retient, quand il voit la beauté de
la dame, il en oublie ses malheurs et ne sait s'il est
mort ou vivant. Il saute sur l'herbe à bas de son cheval
et lui dit :

— Gracieuse créature, dame à la beauté sans
pareille, pardonnez-moi, au nom de Dieu ! Un prodigieux malheur m'a brisé le cœur ! Je vous le jure,

madame, sur ma foi, j'étais dans un tel état, plongé dans un deuil et une souffrance inexprimables, que je ne me rappelle pas ce que je faisais, et que je ne vous ai pas aperçue. Mais je vous supplie, noble dame, de bien vouloir me pardonner. Dame, je suis prêt à réparer mon tort comme vous le jugerez bon !

— Raymondin, lui répond la dame, je compatis à votre malheur !

Raymondin, s'entendant appeler par son nom, commence à s'interroger.

— Dame, dit-il, je suis ébahi de voir que vous connaissez mon nom. Par ma foi, je ne connais nullement le vôtre. Mais la beauté de votre visage me persuade que je dois me rassurer et que je pourrai grâce à vous trouver quelque secours dans mon deuil et mon désespoir. Car une si belle créature ne peut apporter que d'heureuses aventures et toutes sortes de bienfaits. Je ne crois pas qu'un être humain puisse allier la beauté, la douceur et la sagesse qui émanent de votre gracieuse personne !

— Raymondin, je connais toute votre histoire !

Et elle se met à lui redire tout ce que vous venez d'entendre, à la grande joie de Raymondin, qui se demande toutefois, très étonné, comment elle sait tout cela. La gracieuse dame lui dit alors :

— Raymondin, écoute, mon ami ! La prédiction de ton seigneur, pourvu que tu acceptes de suivre mes conseils, je l'accomplirai, si Dieu le Père y consent, ainsi que sa Glorieuse Mère.

Raymondin, l'entendant parler de Dieu, se sent tout rassuré :

— Douce et noble dame, dit-il, je m'appliquerai de tout mon cœur à vous obéir. Mais je ne peux m'empêcher de vous demander, en vérité, comment vous pouvez savoir mon nom et connaître le malheur qui m'a frappé et qui mérite la mort.

— Raymondin, ne t'étonne donc pas ! Dieu te viendra en aide, si tu le veux, et tu auras plus de bonheur encore que ton seigneur ne l'a prédit avant de reposer, mort et froid, dans la forêt. Cesse de te

désespérer ! Je t'aiderai à trouver le réconfort. Je suis,
après Dieu, ton seul soutien. Tu auras tout le bonheur
du monde, pourvu que tu me fasses toute confiance.
Et ne va pas craindre que je n'appartienne pas à Dieu
et que je ne croie pas en ses miracles. Je te jure que je
crois en la sainte foi catholique et en chacun de ses
articles. Je crois que Dieu, pour nous sauver, est né de
la Vierge, sans entamer sa virginité, que pour nous il a
enduré la mort, avant de ressusciter le troisième jour,
et qu'il est ensuite monté aux cieux, à la fois vrai
homme et vrai Dieu, où il siège à la droite du Père.
Raymondin, écoute-moi, mon ami ! J'ai une foi iné-
branlable en tous ces articles, dont rien ne me ferait
douter. Fais-moi confiance, tu seras sage, et tu mon-
teras si haut dans les honneurs que tu seras de plus
haute noblesse que ne l'a jamais été nul homme de
ton lignage.

Raymondin se met à méditer et à réfléchir aux
paroles qu'il a entendues. Son cœur retrouve un peu
de joie, ses couleurs lui reviennent et sa douleur
s'apaise. Il répond aussitôt :

— Ma dame bien-aimée, je ferai de bon cœur et
sans tarder tout ce que vous voudrez commander !

— Raymondin, dit-elle, c'est bien parlé ! Ecoute-moi donc sans me contredire ! Tu vas me jurer,
sur Dieu et sur son image, que tu m'épouseras et
que jamais de toute ta vie, malgré tout ce qu'on
pourra te dire, tu ne chercheras à savoir ou à faire
découvrir où j'irai le samedi ni ce que je ferai. Quant
à moi, je te jure que je n'irai dans aucun mauvais
lieu mais que je passerai toujours cette journée à
accroître et à rehausser ton honneur de tout mon
cœur et de toutes mes forces : jamais je ne trahirai
ce serment !

Raymondin s'empresse de prêter ce serment. Mais à
la fin il devait trahir sa parole et connaître un grand
malheur pour ne pas avoir respecté son engagement.

— Raymondin, dit-elle, écoute bien : si tu ne me
tiens pas parole sur ce point, tu es sûr de me perdre et
de ne plus jamais me revoir. Et après cette faute, toi-

même puis tes héritiers commencerez à décliner et à perdre terres et domaines, à grande douleur.

Raymondin jure une seconde fois de ne jamais se parjurer. Hélas ! le malheureux, il devait manquer à sa foi, ce qui lui valut des souffrances sans fin et la perte de sa dame bien-aimée, qu'il chérissait si tendrement. Mais je me tais sur ce point pour l'instant et reviens à mon récit.

— Raymondin, dit-elle, tu iras, sans me contredire, à Poitiers, hardiment. Vas-y en toute confiance ! Si l'on t'interroge sur ton seigneur, parle sans détour : dis que tu as perdu sa trace dans la forêt, que tu l'as longtemps attendu avant de partir à sa recherche dans la forêt épaisse, pendant la chasse au sanglier. Bien d'autres, arrivés avant toi, auront dit la même chose. Puis on trouvera ton seigneur et l'on ramènera son corps à Poitiers. La douleur sera générale, chacun sera en deuil, plus que tous la comtesse et bien d'autres femmes par sympathie pour elle, ainsi que ses enfants. Aide-les à retrouver la paix et donne-leur tous les conseils nécessaires pour célébrer dignement les obsèques, car un grand seigneur doit recevoir à ses obsèques tous les honneurs. Vêts-toi de noir comme les autres ! Et quand le deuil sera terminé, quand l'héritier sera proclamé comte de Poitiers et qu'il aura reçu l'hommage de tous les vassaux de son pays, demande au seigneur un don en récompense de ton service auprès du comte mort ! Demande-lui toute la terre et la forêt qu'une peau de cerf peut enclore, à l'endroit précis où nous nous trouvons à présent[8] ! Il te l'accordera sans difficulté. Tâche d'obtenir une promesse écrite, avec la raison pour laquelle on t'accorde ce don. Et fais préciser le jour auquel on doit te le délivrer ! Puis quand tu auras ta lettre, tu quitteras Poitiers pour te promener aux alentours. Tu verras alors un homme porteur d'une peau de cerf grande et large. Achète-la, je te l'ordonne, quel qu'en soit le prix ! Puis

8. La légende de la fondation de Carthage par Didon offre la plus célèbre illustration de ce motif folklorique : S. Thompson, *Motif Index of Folk Literature*, K 185 (Deceptive Land Purchase).

tu feras découper dans cette peau une courroie :
qu'elle ne soit surtout pas large, mais la plus mince
possible, taillée tout autour de la peau jusqu'à ce qu'il
n'y ait plus rien à découper ! Fais-la rouler en un
ballot, reviens à Poitiers et obtiens qu'on te délivre
immédiatement ton don, près de cette claire fontaine !
Ne ménage pas ta peine ! Tu trouveras partout tracées
les limites que je souhaite fixer à ta terre. Si la courroie dépasse le cercle que tu trouveras tracé, redes-
cends vers la vallée : l'eau claire et pure qui coule de
cette fontaine te montrera où étaler le reste de la courroie : tiens-la hardiment, n'aie pas peur ! Et quand tu
auras la confirmation de ton bien et que tu seras
retourné à Poitiers, prends congé et reviens près de
moi : tu peux être sûr de me trouver ici même.
Tiens-moi donc parole, comme tu l'as promis !

— Dame, répond aussitôt Raymondin, j'obéirai à
vos ordres, quoi qu'il m'en coûte, puisque tel est votre
désir !

Il prend congé et s'éloigne pour remplir avec joie sa
mission. Quand il arrive à Poitiers, au petit matin,
bien des gens lui demandent :

— Raymonnet, où est donc votre seigneur ? Pourquoi n'est-il pas de retour ?

— Je l'ai perdu de vue hier, répond Raymondin,
son cheval l'emportait à une allure prodigieuse et je
n'ai pas pu le rejoindre, malgré mes efforts. J'ai perdu
sa trace dans la forêt et je ne l'ai pas revu depuis.

C'est ainsi que Raymondin se justifia, et personne
ne l'accusa de la mort du comte, car nul n'aurait
jamais cru qu'il pût en être responsable. Le jeune
homme était pourtant plein d'angoisse et soupirait à la
pensée de cette mort, mais il lui fallait cacher le malheur survenu à la chasse. Les chasseurs revinrent en
grand nombre, les grands comme les petits se rassemblèrent près de Raymondin, tous très inquiets de ne
pas savoir où leur seigneur avait passé la nuit. Son
épouse affligée avait le visage couvert de larmes,
comme ses deux enfants. Et voici qu'arrivèrent deux
vassaux, portant le cadavre de l'illustre comte, qu'ils

avaient trouvé dans la forêt, avec celui du sanglier. Alors les cris s'élevèrent. Tous pleuraient : bourgeois et écuyers, dames et chevaliers, vieillards et jeunes gens, tous pleuraient la mort du noble comte. A l'annonce de la nouvelle, le cœur de la comtesse s'assombrit de deuil : elle s'arracha les cheveux, fondit en larmes. Sa fille, son cher fils pleuraient, tout comme le noble Raymondin, les prêtres et les chanoines, les grands et les petits : tout Poitiers était plongé dans le deuil. Je serais incapable de vous rendre compte du deuil qu'on menait dans la cité à la vue du comte mort : tous pleuraient sa mort. On célébra noblement les obsèques, ainsi qu'une messe qui serait répétée tous les ans, dans l'église illuminée. Quant au sanglier, les bourgeois de la cité le firent brûler sur un bûcher. Les barons du pays assistaient à la cérémonie, comme il se devait. Mais il faut mettre un terme à son deuil, quand on ne peut le réparer. Raymondin joua si bien son rôle que bien des assistants dirent :

— Comme ce jeune homme est affligé ! Il aimait profondément son seigneur.

C'était d'ailleurs la vérité et c'était grande pitié de le voir.

Après les obsèques, les barons allèrent de bon cœur faire hommage au nouveau comte, selon l'usage du pays. Alors Raymondin s'avança et présenta posément sa requête, selon les recommandations de la dame qu'il venait de quitter.

— Cher seigneur, dit-il, donnez-moi, près de la Fontaine de Soif, toute l'étendue de forêt, de montagne et de vallée, de prés et de champs, que je pourrai recouvrir d'un peau de cerf ! Je ne vous demande pas là un présent ruineux. Je ne veux pas d'autre récompense, sur mon salut, pour avoir servi votre père (Dieu ait son âme !).

— J'accepte, répondit le jeune comte, si mes barons y consentent.

Les barons dirent alors :

— Raymondin peut recevoir ce don, il l'a bien mérité, car il a loyalement servi notre seigneur.

— Qu'il l'ait donc ! dit le comte.

On mit l'accord par écrit : la promesse fut précisée en détail, la lettre fut écrite et scellée du grand sceau du nouveau comte, précieux et de grande valeur. Les plus puissants barons apposèrent aussi leur grand sceau sur cette lettre, bien rédigée et faite dans toutes les règles. On fixa un jour pour la remise du don. Dès le lendemain, le héros trouve un homme qui lui apporte une peau de cerf et la lui remet courtoisement. Il la fait tailler en une fine courroie puis demande alors son don : le comte ordonne qu'on lui obéisse. Aussitôt les serviteurs préposés à cette tâche quittent Poitiers pour remettre son don à Raymondin et accomplir la promesse du comte. Ils arrivent tout droit à la fontaine, guidés par Raymondin. Quand celui-ci sort la peau, ils s'émerveillent de la voir ainsi taillée et ne savent que faire. Alors surgissent deux hommes : ils prennent la peau finement taillée, la roulent en une pelote et en font un grand ballot. Ils attachent l'extrémité à un pieu et font le tour du rocher. Mais il restait encore beaucoup de peau. Alors l'un des hommes attache la courroie au pieu et descend la pente avec le reste de la peau, dont l'extrémité est bien fixée au pieu. Et tout au long jaillit un ruisseau, qui plonge tous les assistants dans la stupeur, car jamais auparavant il n'y avait eu d'eau à cet endroit. Quand ils voient la surface délimitée par la peau et la terre qu'elle englobe, ils s'émerveillent devant cette étendue : aucun n'aurait imaginé voir la peau en entourer même la moitié. Mais ils remettent la terre enclose, comme le veut la charte, et s'en vont. De retour à Poitiers, ils expliquent au comte cette merveille, dont ils n'ont jamais vu la pareille : la peau de cerf qui s'étendait sur un cercle de deux lieues, et les deux hommes qui avaient fait le tour du rocher, et aussi le ruisseau qu'ils avaient vu jaillir le long de la vallée. Le comte dit :

— Je crois (Dieu me protège !) que Raymondin a fait une rencontre féerique, car on dit qu'à cette fontaine, on a vu survenir bien d'autres merveilles soudaines. Puisse-t-il y trouver le bonheur : c'est ce que je lui souhaite !

Raymondin prend la parole, tout joyeux, car il était venu pour remercier le comte de son don :

— Grand merci, seigneur, pour ce bienfait ! Je ne sais ce qui m'arrivera, mais, Dieu le veuille ! j'y trouverai le bonheur !

La nuit s'écoule. Dès le matin, Raymondin, sur son cheval, gagne la Fontaine de Soif et y trouve sa dame, qui lui dit :

— Sois le bienvenu, mon ami ! Tu es sage, bien éduqué, et tu as bien rempli ta mission : tu n'en seras que plus honoré.

Ils entrent dans la chapelle, qu'ils trouvent tout près de là, pleine de dames, de chevaliers, de clercs, de prélats, de prêtres et d'écuyers, tous noblement parés. Raymond s'émerveille de la foule qu'il voit ici et ne peut s'empêcher de demander à la belle créature, à la dame, d'où peuvent venir tous ces gens.

— N'en sois pas surpris, dit la dame, tous t'appartiennent !

Elle ordonne à tous de le recevoir comme leur seigneur ; et ils s'exécutent, dans les règles. Ils lui prodiguent les marques de respect. Mais Raymondin, pensif, dit tout bas, tout doucement :

— Voici un beau début[9] : Dieu veuille que la fin soit aussi heureuse !

La dame reprend alors la parole :

— Raymondin, que vas-tu faire maintenant ? Tant que tu ne m'auras pas épousée, tu ne pourras pas jouir du rang que je compte te donner.

— Je suis tout prêt ! répond-il.

— Raymondin, mon ami, il faut qu'il en aille autrement. Nous célébrerons noblement nos noces. Il faut t'efforcer d'amener ici des gens qui soient témoins du mariage. Et ne crains rien : tous ceux qui viendront seront largement honorés. Mais veille à être lundi à cet endroit même !

9. Voir *infra*, p. 101 : Raymondin reprend la même exclamation, par antiphrase, au moment où, fou de douleur, il trahit Mélusine : « Voici un beau début : ton fils Geoffroy la Grand Dent a brûlé cent moines, dont ton fils Fromont, que j'aimais tant, puis s'en est allé ! »

— J'obéirai sans faute, répond Raymondin.

Il s'éloigne et regagne Poitiers sur son cheval. Sans plus tarder, il se présente devant le comte, qui le reçoit aimablement. Raymondin sait bien le saluer sans changer de visage, et s'humilie profondément devant lui. Il lui explique alors sa situation :

— Monseigneur, dit le jeune homme, je ne vous cacherai rien et vous conterai toute mon histoire, sans mentir. Je dois me marier lundi et recevoir le serment d'une grande dame, à la Fontaine de Soif : je l'aime plus que tout au monde. Je vous prie de venir avec les vôtres, monseigneur, pour m'honorer, et d'amener votre courtoise mère, ma dame que j'aime et que je respecte et dont tous proclament la noblesse.

— Raymondin, dit le comte, je viendrai. Mais dites-moi d'abord qui est la dame que vous épousez ! Veillez à ne pas vous tromper ! D'où est-elle, et de quel lignage ? Est-elle de haute naissance ? Dites-moi, cousin, qui elle est, car je suis tout prêt à venir à vos noces !

— Seigneur, je ne peux rien dire. Ne me posez plus de questions, car vous ne pouvez pas en savoir plus ! Vous en saurez assez en la voyant.

— Quelle est cette merveille ? dit le comte. Je ne vous comprends pas : vous épousez une femme sans savoir qui elle est ni qui sont ses parents !

— Seigneur, par saint Laurent, son équipage est celui d'une fille de roi ; on n'a jamais vu plus belle. Elle me plaît, et je la veux. Quant à son lignage, je n'ai pas demandé si elle était née d'un duc ou d'un marquis, mais je la veux, et elle me plaît.

Le bon comte se tait et dit à Raymondin qu'il viendra avec sa mère et ses nobles barons en grand nombre. Raymondin l'en remercie.

Le lundi vient, on se prépare. Le comte s'éveille au matin, emmène avec lui sa mère en grand équipage, dames et chevaliers en grand nombre. Il se demande avec étonnement comment et où on les logera, près de la fontaine. Mais il n'a pas à s'inquiéter : on s'occupe de tout. Raymondin et ses invités, à cheval, approchent du village de Colombiers, le traversent et poursuivent leur ascension. Après la forêt, ils voient le rocher, les tentes montées sous la falaise, au milieu de la plaine, et le ruisseau qui coule depuis peu de la fontaine. Et tous de s'émerveiller et de dire que les fées sont passées par là. Ils remarquent dans la prairie les tentes, les loges, les pavillons[10], et le doux chant des oiseaux qui retentit dans le vert bocage, au-dessus du ruisseau qui coule dans le bois épais. La place fourmille de gens, les cuisines fument, on dirait une grande armée[11]. Voici soudain venir vers eux près de soixante chevaliers jeunes et forts, lestes et agiles, richement montés et armés ; mais d'où viennent ces richesses ? Ils s'informent du noble comte de Poitiers, on le leur désigne. Ils se tournent aussitôt vers Raymondin, qui accompagne le comte et en est traité avec honneur. Ils viennent humblement au comte et le saluent courtoisement. Le comte leur rend leur salut sans retard et selon ce qui revient à la naissance de chacun : aux grands et aux petits, même aux plus humbles, il sait rendre leurs salutations. Et les chevaliers sans reproche lui transmettent les remerciements de leur dame Mélusine pour être venu à la fête : elle les a chargés de son logement. Le comte dit :

— A la bonne heure ! Je vois là de magnifiques préparatifs !

Le comte est noblement logé et reçoit une tente superbe. Les destriers sont bien installés près des

10. Le pavillon est plutôt une tente de forme ronde, alors que la tente est de forme allongée et la loge un abri de feuillage.

11. Cette réception féerique dans la forêt, subversion de l'opposition entre espace naturel (la forêt) et espace culturel (la ville), se retrouve, dans des circonstances identiques, dans *Riquet à la Houppe* de Perrault (éd. G. Rouget, Paris, Garnier, p. 177) : « Elle alla par hasard se promener dans le même bois où elle avait trouvé Riquet à la houppe [...] La terre s'ouvrit dans le même temps et elle vit sous ses pieds comme une grande Cuisine pleine de Cuisiniers, de Marmitons et de toutes sortes d'Officiers nécessaires pour faire un festin magnifique [...] La Princesse, étonnée de ce spectacle, leur demanda pour qui ils travaillaient. — C'est, Madame, lui répondit le plus apparent de la bande, pour le Prince Riquet à la houppe, dont les noces se feront demain. »

mangeoires et des râteliers qu'on a installés dans des
tentes immenses et imposantes. La comtesse est reçue
dans un pavillon d'or battu qu'on a monté près de la
fontaine. Un grand nombre de dames très belles tiennent compagnie à la comtesse, tout le monde lui souhaite la bienvenue. Et tous de s'émerveiller de ce
noble spectacle : ils n'auraient jamais cru voir tant de
choses réunies en un lieu. Raymondin partage le logement du comte. La chapelle, soyez-en sûrs, est richement apprêtée et décorée des plus beaux joyaux. Que
vous dire de plus ? La comtesse et le noble comte ont
demandé la fiancée ; on leur a aussitôt amené Mélusine dans la chapelle. La demoiselle était si belle et si
richement parée que toux ceux qui la virent ce jour-là
dirent qu'assurément ce n'était pas là une créature
humaine, mais plutôt un ange. Le comte s'empresse
d'accueillir Mélusine et de remplir son devoir, tout
comme la noble comtesse. Tous deux assistent à la
messe. On entendait résonner des instruments de
toutes sortes, et d'ici à Constantinople on ne célébra
jamais si noble fête. Tout le bois en retentissait. Tous
les assistants disaient :
— On n'a jamais vu pareille merveille !
Ils furent donc mariés dans l'allégresse. Après la
messe, ils se remirent en route : le comte escorta
l'épousée, avec un prince du pays. Ils entrèrent dans la
grande salle, que tous trouvèrent magnifique. Le repas
était prêt : ils se lavèrent les mains puis s'assirent aussitôt. Le comte prit place près de l'épousée ; puis la
comtesse, puis un grand seigneur du pays que l'on
plaça là pour l'honorer. Raymondin faisait le service
avec les chevaliers[12]. Les écuyers apportèrent les plats.
Les mets étaient en telle abondance qu'on pouvait les

12. *Le Menagier de Paris*, manuel de la parfaite maîtresse de
maison, composé vers 1393 par un vieux bourgeois pour sa jeune
épouse, confirme qu'il était d'usage pour l'époux de servir à table au
repas des noces : « Deux des plus honnestes et mieulx savans
(escuiers) qui compagneront le marié et avec luy yront devant les
metz » (*Le Menagier de Paris*, éd. G. Brereton et J.M. Ferrier,
Oxford, 1981, II 4, 10, p. 188).

compter à l'infini : vin d'Aunis, vin de La Rochelle qui échauffe les cervelles, vin de Thouars et vin de Beaune, qui n'est pas de couleur jaune ; vin au miel, au romarin, hypocras[13] coulaient d'un bout à l'autre de la salle, avec les vins de Tournus, de Dijon, d'Auxerre et de Saint-Gengoux, et le vin de Saint-Jean d'Angely, fort prisé. Le vin vendu au marché et le vin du Villars suivirent le vin bâtard[14]. Le vin de Saint-Pourçain, le vin de Ris remportèrent la palme des vins légers[15]. L'Azoia nouveau, le vin du Donjon furent proclamés les meilleurs. Et ils eurent même du vin de Bordeaux, que chacun avait aussi dans son logis[16]. Les invités avaient tout ce qu'ils demandaient, à boire ou à manger. Après le repas, on organisa près de la fontaine une très belle joute, où Raymondin se dépensa tant qu'il surpassa tous ses adversaires. Les joutes durèrent jusqu'au soir, puis on alla souper. Après les vêpres, on se mit à table et l'on soupa avec grand plaisir. Puis quand chacun fut rassasié, on dansa, je crois bien, sans plus tarder et longuement. Quand on vit qu'il était temps de se séparer et de se coucher, on mena l'épousée dans sa tente. C'était une tente somptueuse, toute peinte d'oiseaux, dont la confection avait coûté très cher. On prépara le lit, que l'on couvrit de fleurs de lys. Raymondin entra se coucher. Un évêque vint alors bénir le lit « in nomine Dei ». Puis chacun s'éloigna car il était fort tard. Le comte se retira sous sa tente, et sa mère, sans plus attendre, alla se coucher dans sa chambre. Chacun regagna son logis. Certains passèrent toute la nuit à jouer et à se distraire : ils chantaient, dansaient, s'amusaient, récitaient de belles

13. L'hypocras est un vin blanc ou rouge, parfumé (cannelle, girofle, vanille) et sucré.

14. Le Villars, dans le canton de Tournus, produisait un vin réputé. Le vin bâtard est un vin liquoreux d'origine espagnole ou portugaise (Roach, p. 362).

15. Les vins de Ris et de Saint-Pourçain sont des vins du pays de l'Allier.

16. L'Azoia est un vin liquoreux ibérien. Le Donjon est vraisemblablement une fondation religieuse à l'ouest du Charolais. Le vin de privilège (v. 1177) désigne le vin de Bordeaux (Roach, p. 363).

chansons. Mais laissons là cette fête pour revenir à Raymondin, qui, allongé près de Mélusine, écoutait ses douces paroles :

— Ecoute-moi, mon bel amour : notre aventure nous a amenés à nous unir comme le font les hommes et les femmes. Je suis toute à toi, pourvu que tu respectes le serment que tu m'as fait le premier jour. Je sais très bien que, quand tu as prié le comte de Poitiers de venir avec ses chevaliers pour te faire honneur le jour de notre mariage, il t'a beaucoup questionné pour savoir qui j'étais et de quel lignage. Tu as parfaitement répondu. Mon amour, n'aie pas peur : si tu tiens ta promesse, tu seras le plus fortuné des hommes de ton lignage, quelque fortunés qu'ils aient été. Mais si tu la trahis, tu verras s'acharner sur toi peines, ennuis, adversité, et tu perdras la plus belle partie de ton domaine : tout cela est sûr et certain.

— Ma souveraine, dit Raymondin, je te jure que de mon vivant je ne trahirai pas la promesse que je t'ai faite et que je te renouvelle maintenant.

Il met sa main dans la sienne et lui prête le serment solennel de lui être parfaitement loyal. Mélusine lui répond alors :

— Mon doux amour, si tu tiens ta promesse, tu es né sous une bonne étoile. Tiens-la bien, je t'en prie, car moi, je n'y manquerai jamais !

Que vous dire de plus ? Tous deux cette nuit-là firent tout ce qu'il fallait pour concevoir un très beau fils, qui fut appelé Urien et se fit remarquer pour ses beaux faits en son temps, comme vous l'apprendrez bientôt. La fête dura quinze jours, et pour finir, Mélusine combla de cadeaux les seigneurs et les dames qui étaient venus avec la noble comtesse. Tous dirent :

— Seigneur Dieu, que voyons-nous donc ? Raymondin a fait un grand mariage, Dieu en soit loué ! On ne pourrait rêver mieux !

Au moment des adieux, Mélusine alla ouvrir un écrin d'ivoire où reposait une précieuse agrafe ornée de pierres fines et de perles aux vertus puissantes, et en fit don à la comtesse, qui reçut le présent avec joie.

Le comte et sa noble compagnie s'en furent, et Mélusine prit congé de la noble comtesse avec tous les
honneurs, ainsi que du comte, des dames et des
demoiselles. Puis les invités montèrent en selle et allèrent tout droit leur chemin. Mais Raymondin les
accompagna avec une noble suite de cavaliers. Ils sor-
tirent de la forêt de Colombiers et Raymondin prit
congé du comte de Poitiers. Si le comte avait osé, il lui
aurait bien demandé qui était Mélusine. Il y songea,
mais se tut par crainte de le courroucer. Raymond,
monté sur un coursier, prit congé et s'en retourna sans
plus attendre. Il embrassa tendrement sa femme, qui
l'accueillit avec joie.

Huit jours ne s'étaient pas écoulés que toute la forêt
fut défrichée. Il y avait une foule d'ouvriers, dont on
ne connaissait pas l'origine. Ils creusèrent des fossés si
profonds qu'on avait peur d'en regarder le fond. Ils
n'avaient nulle raison de s'inquiéter quant à la ponc-
tualité du paiement, car ils recevaient chaque jour leur
argent et n'en étaient que plus diligents au travail. Ils
creusèrent de profonds fondements : vous n'avez qu'à
voir si je mens ! Mélusine leur expliquait le travail au
fur et à mesure. Sur la roche vive, ils posèrent les
premières pierres. Puis en peu de temps ils bâtirent et
élevèrent de grosses tours et de hautes murailles selon
les directives de la dame, bien appuyées sur la falaise.
On construisit deux ouvrages fortifiés et le donjon,
entourés de hautes braies[17]. Et tout le pays s'émerveillait devant la rapidité des travaux. Puis quand le château fut bâti, Mélusine, devant sa beauté, le baptisa et
lui donna son véritable nom, en prenant une partie de
son propre nom : elle lui donna le nom de Lusignan,
dont la renommée court encore partout et dont le cri
de ralliement résonne encore dans bien des bouches.
Je n'écris que la vérité : le bon roi de Chypre a pour
cri « Lusignan », comme vous l'apprendrez dans la
suite de l'histoire que je rapporterai plus loin. « Mélusine » signifie « Merveille qui ne vient jamais à man-

17. Ceinture de fortes palissades ou de maçonnerie.

quer[18] ». Cette forteresse est donc plus merveilleuse et plus aventureuse que les autres. Le château fut bien achevé et tout enclos de hautes murailles. Tout le monde disait :

— C'est un prodige que d'avoir si vite bâti cette forteresse !

Mélusine arriva à son terme et au bout de neuf mois mit au monde un fils du nom d'Urien, qui depuis fut de grand renom. Mais il avait le visage monstrueux, trop court, tout en largeur, avec un œil rouge et l'autre vert (comme chacun pouvait le voir), une grande bouche et les plus grandes oreilles qu'on eût jamais vues. De corps cependant, il était bien bâti : les jambes, les bras, les pieds bien droits. La nature n'avait rien oublié : il était parfaitement bien fait. Après cette naissance, Mélusine fit construire le bourg, où il fait bon séjourner[19] : hautes murailles et tours épaisses, toutes les allées et venues sont protégées. Il y a des meurtrières ménagées dans les ouvertures, pour lancer des traits, tirer des flèches et se défendre. C'est un bourg imprenable, même par une foule d'assaillants. L'ouvrage fortifié est superbe, les fossés profonds et larges, tapissés de pierres de tous côtés. Les portes du bourg sont jumelles et fort belles en vérité. Et entre le bourg et la forteresse, il y a une construction prodigieusement forte qu'on appelle la Tour Trompée dans la ville de Lusignan, car on y plaça alors des sonneurs de trompe sarrasins, afin de garder le bourg et la forteresse et surveiller les environs, pour empêcher quiconque de s'approcher à l'insu des habitants[20]. La même année, naquit un autre enfant du nom d'Eudes : sa personne et son visage avaient l'éclat du feu et une rougeur flam-

18. Cette explication du nom de Mélusine demeure énigmatique. Cf. Jean d'Arras, *Mélusine*, p. 47 : « Vous estes nommee Melusigne d'Albanie, et Albanie en gregois vault autant a dire comme chose qui ne fault, et Melusigne vault autant a dire comme merveilles ou merveilleuse. »

19. Le bourg est une agglomération urbaine proche d'un centre préexistant (ici le château de Lusignan).

20. Il s'agit d'automates, qui relèvent du merveilleux oriental.

boyante. Mais il avait le corps bien droit et les membres bien faits. La même année, la dame fit le bourg et le château de Melle, puis Vouvant et Mervent, puis la tour et le bourg de Saint-Maixent, et elle commença l'abbaye consacrée au culte de Notre Dame[21]. Puis vint la ville de Parthenay et son château gracieux. Raymondin était partout redouté et vite parvenu au sommet des honneurs. Après, Mélusine eut encore un beau fils, le plus beau qu'on eût jamais vu. On ne pouvait rien redire à sa beauté sinon que l'un de ses yeux était un peu plus bas que l'autre. On le nomma Guy, c'est la pure vérité. La même année, Mélusine, la belle dame, construisit La Rochelle ainsi que Pons en Poitou, et n'attendit guère pour faire à Saintes un beau pont, comme le rapporte la chronique. Puis elle œuvra en Talmondais, ce qui accrut sa renommée. Aussitôt après, c'est un fait certain, elle eut un fils appelé Antoine. Mais il naquit avec sur la joue une patte de lion velue, aux griffes tranchantes, qu'il porta toute sa vie : tout le monde en resta ébahi. Le plus hardi n'aurait pu l'approcher sans peur : je ne vous dis que la vérité, n'en doutez pas ! Il accomplit des exploits en Luxembourg, comme je vous le raconterai. La dame allaita ses enfants jusqu'au moment où ils furent robustes. Puis quand il plut à Dieu, elle eut encore un autre enfant, nommé Renaud, qui naquit avec un seul œil placé tout en haut de la tête. Mais il voyait bien plus clair que ceux qui avaient deux yeux. Il devait accomplir des merveilles : vous les apprendrez, si vous m'écoutez attentivement. Puis elle mit au monde Geoffroy la Grand Dent : il avait dans la bouche une dent qui saillait prodigieusement au dehors. Il était fort et redoutable et coutumier d'actions merveilleuses. C'est lui qui tua les moines noirs de l'abbaye de Maillezais, crime qui poussa son père, dans sa colère, à quereller Mélusine et à l'insulter si bien qu'il la perdit : ce fut le début de la déchéance

21. Vouvant, en Vendée, possède encore un donjon du XIIIe siècle, appelé « Tour Mélusine ».

pour Raymondin. Le septième fils fut Fromont. Il
était grand, beau et bien fait, sage et savant, mais il
avait sur le nez une tache velue comme la peau d'un
loup. Peu après naquit le huitième fils de Mélusine,
qui avait trois yeux, dont un sur le front : et tous de
s'émerveiller. Cet enfant fut nommé Horrible, car il
était terrible à voir et si mauvais qu'il ne pensait qu'à
faire le mal.

Les conquêtes des fils de Lusignan

Revenons donc à Urien, l'aîné de tous, puis j'évo-
querai chacun des frères tour à tour, afin que l'on ne
trouve rien à redire. Urien était un bel écuyer, robuste
et fort, vif et agile. Voulant aller à la guerre et sur terre
et sur mer, il prit à La Rochelle un magnifique navire,
une grande barge, et déclara qu'il voulait conquérir
une terre, avec l'aide de Dieu. Il fut suivi de beaucoup
d'hommes, qui remplissaient la barge, et de son frère
Guy, qui devait bien souvent prouver sa vaillance.
Mélusine leur remit un grand trésor d'argent et d'or
pour bien payer leurs hommes. Ils prirent la mer à
toutes voiles, droit jusqu'à Chypre, où les attendait
une belle aventure. Le roi de Chypre était assiégé dans
sa ville de Famagouste, presque réduite à la famine,
car le sultan était sous ses murs avec cent mille
combattants. Apprenant le sort de Famagouste, Urien
débarque, se ravitaille, et repart aussitôt vers la cité, à
laquelle mène une belle route. Il avance à grande
allure, déployant au vent sa bannière de soie fine et
déliée, richement brodée. On apprend son arrivée
chez les Sarrasins comme dans la cité. Et les Sarrasins
de revêtir leurs armes et de sortir du camp pour se
ranger autour du sultan. Les Chypriotes ont l'impression que le sultan veut s'enfuir et décident de le poursuivre. Le roi se fait armer par sa fille, la belle Hermine. Les trompettes sonnent, le roi sort de la ville
derrière sa bannière. Dans le tumulte qui s'ensuit, les
païens, voyant venir le roi, se précipitent vers lui. Les

deux troupes se heurtent avec violence : bien des chrétiens sont tués, bien des Sarrasins tombent morts de cheval. Mais les Sarrasins sont trop forts, malgré les efforts des Chypriotes. Un trait empoisonné au fer soigneusement forgé transperce le roi, sans espoir de guérison. Ce verdict des médecins suscite un désespoir général. Les Sarrasins poursuivent les Chypriotes, qui fuient devant eux : ils les obligent à regagner la ville, leur tuent et leur blessent beaucoup d'hommes. Dans la ville, on se lamente sur les morts et les blessés, et sur la blessure du roi, qui aggrave le deuil général. Hermine se désole, se désespère et s'arrache les cheveux devant le roi, son père et son seigneur, qu'elle voit blessé à mort sans nul recours.

Mais laissons là le roi de Chypre et retournons à Urien, le preux et valeureux guerrier, adroit, vif et rapide, et à son noble frère Guy, né du même père et de la même mère. Bannière déployée, ils attaquent les païens : quelle lutte farouche, quand on abaisse les lances ! Les Poitevins font bonne figure : le vin qu'ils boivent les rend plus forts et agiles. Au cours des multiples assauts, Urien montre sa prouesse, jonchant le sol de morts et de blessés, tout comme son frère Guy, redouté comme un lion. Les païens reculent, perdent pied. Le sultan ne sait plus que faire : éperonnant son destrier, il empoigne sa lame d'acier et en frappe un Poitevin, qui ne peut échapper à la mort : il lui enfonce dans le corps le fer et le bois de la lance. Mais Urien, à cette vue, semble devenir fou de rage ; empoignant son épée à deux mains, il en donne au sultan un coup si puissant qu'il le fend en deux jusqu'aux dents : le sultan tombe raide mort. C'est l'épouvante dans les rangs des païens. Urien accomplit tant d'exploits que les païens, Turcs ou Syriens, le fuient comme l'alouette devant l'épervier, le lièvre devant le lévrier. Tous courent vers leurs navires. Mais Urien, anxieux de les détruire, les massacre comme des chiens. C'est ainsi qu'Urien et Guy tuèrent tous les païens. Urien installa son camp et s'établit sur le site de sa victoire. Mais bientôt les Chypriotes vinrent au nom du roi le prier de bien vouloir se rendre dans la cité, en signe d'amitié, auprès du roi qui ne pouvait marcher et parlait difficilement, du fait de ses blessures. A ces mots, Urien répondit courtoisement qu'il se rendrait volontiers auprès du roi. Suivi de son frère et de toute l'armée, il monta à cheval en noble équipage. Les Chypriotes ne se lassaient pas d'examiner Urien, sa grande taille, son visage étrange et monstrueux. Et chacun de se signer et de dire qu'il n'avait jamais vu pareil homme : d'après son aspect, il devrait pouvoir conquérir la terre entière, car nul n'oserait se mesurer à lui. Qui donc pourrait lui résister ? Qui, au nom de Dieu ? pas même un géant ! C'est un prodige que cet homme, je vous le garantis ! Ils mirent pied à terre devant la grande salle, gravirent les marches et trouvèrent le roi allongé, le nez et la bouche enflés de poison. Tous le plaignaient. Urien le salua et le roi blessé lui rendit aussitôt son salut, lui disant :

— Vous m'avez noblement servi, avec une courtoisie dont je n'ai jamais vu la pareille de ma vie ! Qui êtes-vous ? Quel est votre nom ?

— Noble roi, sachez qu'on me nomme Urien de Lusignan. Je ne crains pas de faire savoir mon nom ; pour rien au monde je ne le cacherais !

— Par ma foi, dit le roi, votre venue me remplit de joie, pourvu que vous accomplissiez mon vœu. Ami très cher, je sens venir la mort. Nul médecin ne peut rien pour moi, car le poison infiltré dans mes veines ne me laissera jamais guérir et va bientôt me faire mourir. Mais je vous prie de m'accorder un don : vous n'y perdrez rien, vous y trouverez au contraire honneur et profit !

Urien répond sans ambages qu'il lui accorde volontiers ce don. Le roi lui dit humblement :

— Voilà une bonne parole. Je mourrai plus tranquille !

Il fait alors convoquer tous les barons ainsi que sa fille, la belle Hermine ; tous se rassemblent vite. Il déclare :

— Barons, écoutez-moi ! Ne vous attendez pas à me voir vivre encore longtemps, je vais bientôt mourir.

Je veux laisser à ma fille Hermine Chypre, mon noble royaume, que j'ai protégé des païens de tout mon pouvoir, à la pointe de l'épée. Je ne peux pas guérir, et elle est l'héritière légitime.

Les barons s'accordent avec un bel ensemble à ces paroles : ils font aussitôt hommage à Hermine et reprennent d'elle leurs fiefs. Le roi reprend la parole :

— Barons, écoutez-moi : une femme garderait bien mal votre pays contre les Sarrasins, qui sont nos proches voisins. Une femme ne saurait supporter le dur métier des armes. Or j'ai bien vu la force et la vaillance d'Urien de Lusignan, qui a défait le sultan de Damas et massacré ses troupes par sa seule prouesse. Il a bien voulu, je le rappelle, m'accorder un don. Je vais le lui demander, et priez-le, je vous en supplie, de ne pas me repousser !

Les barons intercèdent doucement auprès d'Urien, qui leur cède humblement : ils peuvent rapporter au roi qu'il fera tout ce qu'on lui demandera. Le roi, tout heureux, dit alors :

— Ecoutez, Urien, et pardonnez-moi ! Je ne veux aucun don de vous, je ne vous demande rien de vos biens, mais je veux vous donner les miens : mon royaume et mon héritage, avec ma fille pour épouse, car c'est ma seule descendance. Prenez-la donc, je vous en prie !

Les barons se réjouissent fort de ces paroles, car ils aiment Urien pour sa grande valeur. Urien écoute le roi, réfléchit et répond :

— Je vous remercie, monseigneur, de me faire un tel honneur. Si je voyais que la mort vous accordait un répit, je n'accepterais pas ce don. Mais puisqu'il en est ainsi, monseigneur, puisque tel est votre désir, j'y souscris.

Que dire de plus ? Les noces furent célébrées. Pendant la messe, dite dans la propre chambre du roi malade, celui-ci rendit l'âme au moment de l'élévation de l'hostie. Dieu le reçoive par sa grâce en Paradis, et lui pardonne tous ses péchés, car c'était, je l'affirme, un bon catholique ! Aussitôt la joie se changea en deuil. L'épousée avait le cœur serré de détresse. On n'attendit pas pour enterrer le roi et lui faire de nobles

obsèques, et c'est justice, car un roi doit avoir de très
nobles obsèques. On pleurait trop le noble roi qui
venait de mourir pour organiser des joutes et des tournois, mais on célébra les noces avec honneur et
dignité. Les organisateurs n'encoururent pas le
moindre reproche, tant la fête fut réussie, avec l'éclat
qui revenait à un roi. Les noces, magnifiques, attirè-
rent des bourgeois de plusieurs villes, chevaliers,
dames, demoiselles, écuyers et jeunes filles, qui dan-
sèrent ce jour-là pour honorer la fête. Le peuple se
réjouit d'apprendre la renommée de son seigneur.
Puis l'on emmena l'épousée pour la faire se coucher.
Urien, sans tarder, alla se coucher avec elle, nu dans
son lit. Cette nuit-là fut engendré Griffon, de qui vous
m'entendrez parler. Il devait conquérir de grandes
terres en pays païen. Il libéra le passage de Colchide,
que l'on ne pouvait franchir directement. On y vit
survenir bien des aventures merveilleuses, plus de
vingt par mois. Il y avait une île, admirablement belle,
où Médée permit à Jason de conquérir la Toison d'or
et de l'emporter. Il la conquit grâce à la science et à
l'habileté de Médée. Mais le récit serait trop long, si
l'on voulait rapporter dans ce livre les grandes merveilles de cette île. Il y en a bien mille, très connues ou
secrètes. Si je parlais de l'île, il me faudrait quitter
mon récit. Je laisserai donc l'île pour revenir à Griffon
qui, à la pointe de l'épée, devint prince de Morée,
conquit le port de Jaffa et multiplia tant les conquêtes
qu'il assaillit, dans sa prouesse, la vaillante cité de
Tripoli, y planta son pennon et sa bannière[22] et la

22. On trouve au XVe siècle trois types de drapeaux : « 1) la
bannière, de forme carrée ou rectangulaire, ornée d'un décor héral-
dique (les armes de France, d'Angleterre, de Bourgogne, etc.) ; 2)
l'étendard, qu'un texte du temps décrit *appointu vers la queue et
fendu* : son ornementation très variable (une scène religieuse, un
animal) résulte du choix personnel de celui qui l'utilise, il n'a pas de
caractère strictement familial ou héréditaire ; 3) le pennon, ou pen-
noncel, ou penoncel, qui est une réduction, en forme de flamme,
soit de la bannière, soit de l'étendard, mais peut très bien comporter
une décoration originale » (P. Contamine, « Bannières et étendards
au XVe siècle », *Dossiers de l'archéologie* 34, mai 1979, p. 18).

conquit. Pas un jour il ne cessa d'arpenter les terres et les mers pour conquérir honneur et gloire.

Assez pour lui ! Retrouvons le sage roi Urien, seigneur couronné de Chypre ! Le roi d'Arménie était, sur mon âme, l'oncle de sa femme, car feu le roi de Chypre était le frère du roi d'Arménie[23]. Ce noble roi était plein de vertu. Mais il ne pouvait vivre éternellement. La mort, qui délivre les faibles et les forts, le prit, au grand chagrin de son peuple : plusieurs en moururent de deuil, tant il avait bien gouverné son pays durant son règne. Il avait une fille, la plus gracieuse et la plus belle qu'on eût jamais vue : c'était sa seule héritière. Les Arméniens tinrent conseil et décidèrent d'adresser un messager à Chypre pour demander au roi de leur envoyer son noble frère Guy : il aurait pour épouse leur demoiselle, la belle Florie. Ils s'en tinrent à cette décision. Les messagers arrivèrent à Chypre et s'acquittèrent avec sagesse de leur mission près du roi, qui les reçut avec plaisir et organisa des fêtes en leur honneur. Quant Urien entendit parler de Florie la belle et la gracieuse, il prit conseil de ses barons, qui tous s'accordèrent à lui dire d'envoyer vite son frère en Arménie. Guy, mandé, s'accorda au commandement d'Urien. Il prit la mer, en noble équipage, avec une nombreuse suite, et débarqua en Arménie, où vivait la belle Florie. Une fois à terre, il poursuivit son chemin. Les seigneurs vinrent à sa rencontre, le couronnèrent solennellement et l'emmenèrent, joyeux de sa venue. Tous les États lui firent fête. Il épousa aussitôt Florie et devint roi de toute la contrée. Ainsi les deux royaumes se retrouvèrent exactement dans la même situation qu'auparavant, quand régnaient deux frères, car Urien et Guy eux aussi avaient le même père et la même mère. Ces

23. Ce royaume d'Arménie voisin de Chypre est la Petite Arménie. Chassés d'Anatolie par les Turcs en 1064, les Arméniens fondent, en Cilicie, le royaume de Petite Arménie, qui sera à son tour emporté par les Turcs en 1375.

deux rois eurent un noble règne et de leur temps
furent d'un grand secours (tout comme leurs descendants, à ce que j'en ai entendu dire), aux habitants de
Rhodes, à qui ils vinrent en aide dans leurs malheurs.
Les deux frères eurent des enfants et vécurent assez
pour les voir grandir. Ceux-ci accomplirent de beaux
faits de leur temps et défirent bien des païens. Après la
mort de leurs pères qui étaient frères, ils gouvernèrent
bien les royaumes et les débarrassèrent de leurs
ennemis. Mais revenons à leur père Raymondin et à
Mélusine, leur mère, digne de tous les honneurs ! A
ces bonnes nouvelles de leurs fils, qui avaient conquis
deux grands royaumes, ils récitèrent les quinze psaumes[24] en louange à Dieu, le Roi de gloire, qui avait
donné à leurs fils la victoire sur leurs ennemis et leur
avait accordé l'honneur d'être rois tous deux, et aimés
de leurs sujets. En action de grâces à Dieu et pour le
salut de son âme, Mélusine, la noble dame, décida
d'édifier sans tarder à Lusignan une belle église
consacrée à Notre Dame. Elle est très belle, je l'ai vue
bien souvent. Mélusine l'édifia et la dota d'une riche
fondation. Dans tout le Poitou, selon son gré, elle
fonda bien d'autres églises, répandant partout les
dons. Puis elle maria, dit l'histoire, son fils Eudes à la
fille du noble comte de la Marche[25].

Renaud, qui n'avait qu'un œil, devenait grand, fort et
farouche. Antoine et lui quittèrent un jour Lusignan,
aussitôt après le dîner, avec des troupes placées sous les
ordres d'Antoine, qui était l'aîné. En route pour la
Bohême, ils approchèrent de Luxembourg, une ville de
grand renom, devant laquelle ils virent de nombreux

24. Il s'agit des Psaumes 120-134 (119-133), Psaumes « gra-
duels » ou Psaumes des montées, sans doute chantés par les pèlerins
en route vers Jérusalem.
25. En 1199, Hugues IX de Lusignan devient comte de la
Marche. En 1308, Philippe le Bel annexe le comté de la Marche (et
Lusignan) à la couronne, à la mort de Guy, dernier seigneur de
Lusignan.

étendards. Le roi d'Alsace l'assiégeait et s'en serait
emparé sans l'arrivée des deux frères. Pour rien au
monde ils n'auraient renoncé au combat, car ils savaient
bien pourquoi le roi faisait la guerre : c'était pour une
jeune fille, belle et gracieuse, qui était dans la ville. La
courtoise demoiselle était fille du duc de Luxembourg
et orpheline : le roi voulait la prendre de force pour
femme et ne comptait pas quitter la noble ville avant
d'avoir la fille. Mais voici venir les deux frères avec une
grande armée. Ils envoient leur héraut défier le roi, qui
se réjouit d'avance de la bataille, car il est fier et belli-
queux. Les deux frères chevauchent à vive allure et, de
loin, aperçoivent la forteresse, les bannières qui flottent
au vent et la foule des hommes d'armes équipés de
couteaux et de guisarmes[26]. Ils se rangent en ordre de
bataille et, sans plus tarder, fondent sur leurs ennemis.
Quand les armées se rencontrent, on entend s'élever le
cri de : « Lusignan ! » Les guerriers s'affrontent à grand
fracas, faisant trembler la terre. Le choc est si rude que
c'en est prodigieux. Les Alsaciens attaquent les Poitevins et les Poitevins assomment les Alsaciens, multi-
pliant les morts et les blessés. Ils relancent leur cri :

— Lusignan ! Alsaciens, misérables, vous mourrez
ici sans pouvoir vous échapper !

Les Poitevins accumulent les faits d'armes, privant
bien des corps de leur âme. Quant aux deux frères, je
suis incapable de rendre justice à leurs exploits. Les
hommes tombent des deux côtés, mais les Poitevins
l'emportent sur les Alsaciens. Antoine soumet le roi de
ses mains, sans effort. Il voulait le tuer, mais le roi se
rend et lui tend aussitôt son épée. Antoine, à cette vue,
reçoit son épée. Les Alsaciens s'enfuient, pourchassés
par les Poitevins. Et Renaud se bat de toutes ses forces,
tuant et massacrant de tous côtés. Les Alsaciens sont
tous tués ou faits prisonniers. Renaud, comme son frère

26. « Arme destinée aux gens de pied, dont le fer, qui comprend
un long taillant légèrement convexe en son milieu, est muni d'un
crochet du côté de ce taillant, d'une forte pointe au revers, et se
prolonge d'une lame destinée à donner des coups d'estoc » (*Trésor
de la langue française*).

Antoine, était plein de sagesse et de courtoisie. Quel dommage, s'il était devenu moine[27] ! Les frères envoient dans la ville une ambassade à la belle qu'ils sont venus secourir : six chevaliers vont livrer le roi d'Alsace à la gracieuse jeune fille. Les chevaliers vont sans plus attendre livrer le roi à la belle : qu'elle en fasse son bon plaisir ! Alors la noble jeune fille, pleine de grâce et de beauté, dit à ses conseillers :

— D'où viennent ces nobles seigneurs qui m'ont fait un si grand honneur ?

— Dame, dit un vieux chevalier, vous aurez plaisir à faire leur connaissance. Ce sont les fils de Lusignan, on les nomme ainsi d'après leur cri de ralliement. L'un s'appelle Antoine et l'autre Renaud.

— Je rends grâces à Dieu, dit la belle, de m'avoir envoyé leur secours : ils m'ont rendu un immense service. Tout ce que je possède est à eux. J'agirai selon leurs conseils et m'en remettrai à eux pour toutes mes décisions, puisqu'ils sont d'une telle puissance !

Elle réunit son conseil et ordonne qu'on fasse venir les deux frères en toute hâte, et que toute l'armée (ou du moins les plus hauts barons) vienne loger dans la ville. Ses hommes promettent d'obéir. Ils se rendent auprès des deux frères, qu'ils trouvent au camp du roi d'Alsace, dressé pour le siège. Le camp était plein de richesses, mais ils n'avaient pas voulu y toucher, donnant tout ce qu'ils avaient gagné aux hommes d'armes, aux grands et aux petits. Mais voici venir les envoyés de Luxembourg qui, devant tous, délivrent sagement leur message aux deux valeureux frères, de la part de leur dame et maîtresse. Les frères les accueillent avec politesse, en hommes bien éduqués. En entendant le message, ils répondent aussitôt qu'ils viendront volontiers loger dans la ville avec cinq cents de leurs chevaliers. Ils laissent avec l'armée les maréchaux des écuries et envoient dans la ville leurs fourriers pour faire préparer

27. Cette réaction préfigure celle de Raymondin quand il apprend que son fils Fromont veut devenir moine, et celle de Geoffroy la Grand Dent, qui, de rage, brûle l'abbaye de Maillezais. Voir p. 85 et p. 95.

les logis. Il fallait entendre le son des instruments, à l'entrée de Luxembourg ! De tous les carrefours, on voyait accourir les gens au doux son de la musique. Les nobles viennent à la rencontre des deux frères : deux des plus grands seigneurs les accompagnent au château. Le peuple se rassemble autour de la belle, qui se nommait Chrétienne, et qu'escorte une nombreuse suite de nobles dames et demoiselles, les unes mariées, les autres non. Elles accueillent les frères avec noblesse et sagesse, comme il se doit. Le repas est prêt : ils se lavent les mains avant de s'asseoir. Il faisait bon les voir : le roi d'Alsace en haut de la table, puis Antoine, frère de Renaud, puis trois grands seigneurs du pays ; Renaud était assis au milieu. Ce fut une fête magnifique, la plus riche qu'on eût jamais vue, tant pour les mets que pour les vins : les Poitevins furent régalés. Après le repas, on se lave les mains, on enlève la table, on dit les grâces. Le roi d'Alsace déclare alors aux courtois frères :

— Je suis votre prisonnier, car vous m'avez capturé aujourd'hui. Je vous en prie, décidez de ma rançon !

— Cher seigneur, répond Antoine, vous n'êtes pas notre prisonnier. Nous avons fait acte de courtoisie devant votre vilenie envers cette noble demoiselle : à elle de décider de votre sort. Nous vous avons livré entre ses mains : qu'il en soit donc fait comme elle le jugera bon, il ne peut pas en être autrement. C'est d'elle, sans aucun doute, que dépend votre liberté ou votre mort.

A ces mots, le roi, qui redoutait la dame, s'inquiète fort, songeant à la façon dont il l'a traitée. Mais la dame prend aussitôt la parole, sans attendre le moindre conseil, avec sagesse et courtoisie :

— Seigneurs, je vous remercie du service que vous m'avez rendu. Mais sur ma foi, je ne déciderai pas du sort du roi d'Alsace : il est à vous, je vous le laisse. Même si j'étais mille fois plus riche, si je possédais un muid d'argent, je ne pourrais pas vous récompenser pour ce que vous avez fait pour moi aujourd'hui, par votre noble chevalerie. C'est de vous que dépend sa mort ou sa vie. Je ne ferai rien de plus, et je vous serai éternellement reconnaissante.

Antoine et Renaud, entendant ce discours, lui répondent sans ambages :

— Puisque telle est votre volonté, nous l'acquittons de tout, pourvu qu'il répare le mal qu'il vous a fait, qu'il se mette à genoux devant vous en demandant pardon pour le crime qu'il a commis, et qu'il jure sur sa foi, en vous laissant des otages, qu'il ne vous fera plus jamais le moindre mal !

La belle abonde dans leur sens :

— Qu'il en soit fait comme vous l'avez dit, je m'y accorde : c'est ma volonté, puisque c'est la vôtre !

Le roi est tout heureux : il avait peur d'être mis à mort. Il implore le pardon de la belle dans les termes cités par Antoine et la belle accepte de lui pardonner, selon la volonté des deux frères. Quand le roi a prêté serment, il prend la parole d'une voix forte :

— Barons, je serais heureux de pouvoir compter pour voisin un chevalier de votre valeur à tous deux : cette situation n'aurait que des avantages. Voyez la noble et douce Chrétienne, la gracieuse duchesse, qui règne sur un grand pays et de grandes richesses. Antoine, écoutez-moi, je vous en prie. Vous lui avez rendu un grand service, et il est juste que moi-même, je vous remercie. Je vous parle ainsi pour en venir à vous dire ma pensée. Barons, j'y ai bien réfléchi, mariez Chrétienne et donnez-la à Antoine ! Elle ne saurait trouver meilleur époux. C'est un vaillant chevalier.

— Le roi a bien parlé ! disent alors les barons de Luxembourg.

Ils s'accordent tous à sa proposition. On célèbre sur-le-champ les noces, qui durent huit jours pleins. Il y eut cette fois des joutes, des tournois, et le roi jouta noblement. Huit jours plus tard, à la fin de la fête, chacun se préparait à prendre congé et à repartir. Mais voici qu'arrive un messager du roi de Bohême, qui apporte une lettre au roi d'Alsace. On lui ouvre aussitôt la porte. Le roi brise le sceau, lit la lettre, se met à soupirer et à pleurer. Les deux frères lui demandent la cause de ses larmes. Il répond :

— Je ne vais rien vous cacher, je suis dans une

terrible situation. Les Sarrasins ont assiégé dans Prague mon frère le roi de Bohême, et c'est l'objet de ma douleur et de mon tourment. Il est assiégé dans la cité de Prague. Au nom de Dieu, ayez pitié de lui et acceptez de lui porter secours : sinon, il n'a plus qu'à mourir !

Antoine, à ces paroles, dit au roi avec force :

— Seigneur, ne vous désolez pas, votre frère sera sauvé. Renaud mon frère emmènera de bons chevaliers en grand nombre, qui secourront votre frère et tueront un grand nombre de Sarrasins.

— Soyez-en remercié ! lui dit le roi. Je vous en fais la promesse : Renaud recevra pour femme la fille de mon frère, car elle ne pourrait être mieux mariée. Il l'aura, que Dieu m'aide ! et il sera roi de Bohême après mon frère, qui n'a pas d'autre héritier que sa fille.

Antoine apprend cette nouvelle avec plaisir. Il dit résolument au roi :

— Partez donc immédiatement ! Allez-vous en vite, noble roi, rassembler votre armée ! Amenez-moi tous vos hommes et revenez dans les quinze jours ! Vous trouverez mes hommes sur le pied de guerre, tout près d'ici. Je les mènerai en personne, avec mon frère Renaud.

Le roi les remercie chaleureusement et s'en va rapidement pour rassembler de grandes troupes dans son pays. Quand il les a rassemblées, il revient le plus vite possible à Luxembourg. Sans rester plus longtemps dans son pays, il revient à Luxembourg, bien escorté de troupes nombreuses et de nobles barons. Un messager vient à Antoine, envoyé par le roi d'Alsace qui vient en noble équipage. Il dit de toute sa voix au duc Antoine :

— Seigneur, Dieu vous garde ! Le roi d'Alsace et les siens sont prêts pour le voyage en Bohême. Il est là-bas dans la prairie, avec une noble compagnie.

— Qu'il soit le bienvenu ! dit le duc.

Il appelle sans tarder Renaud, qui arrive aussitôt. Antoine lui dit :

— Frère, allez vite là-bas rejoindre le roi d'Alsace dans le pré ! Logez grands et petits ! Les tentes sont

déployées sur toute la largeur du pré. Vous savez bien
vous y prendre : installez-les confortablement, puis
faites venir le roi !

Renaud obéit aux ordres, il remplit bien sa mission.
Une fois les Alsaciens bien logés, le roi prend congé
d'eux et les quitte. Il rejoint le duc à Luxembourg et le
trouve dans la ville. Ils se font fête et se mettent à table,
mais je laisse de côté le dîner. Antoine a tôt fait de réunir
ses hommes, qui se trouvent tout près de là. Ils sont vite
sur le pied de guerre. C'est une noble compagnie qui
alla à l'aide du roi de Bohême : on pouvait les estimer à
trente mille, qui rejoignirent le duc en armes. Les deux
armées se rassemblèrent en se portant des marques
d'honneur. Quel bel équipage, du côté du duc comme
de celui du roi ! Quand ils furent rassemblés, la terre
tremblait de tous côtés. Mais avant leur départ, Chrétienne appela Antoine et lui dit :

— Je vous en prie, monseigneur, faites-moi l'honneur de porter les armes de Luxembourg, sans y rien
ajouter !

— Chère amie, répondit Antoine, c'est impossible,
mais je vous propose de porter partout l'ombre d'un
lion sur mes propres armes. Voilà les armes que je
veux, car je suis né avec une patte de lion sur la joue,
qui étonne le peuple. Ainsi je répondrai à votre souhait.

— Je vous en remercie, lui dit-elle, et j'accepte,
puisque vous le voulez bien. Car si vous enlevez
l'azur, vous portez en même temps que vos propres
armes, les miennes, qui sont très anciennes[28].

28. R. Matagne, « Un miroir aux armes d'Angleterre et de Lusignan », *Archivum Heraldicum*, 74, 1960, pp. 18-22 : Les maisons de
Luxembourg et de Lusignan ont des armes très proches. Hugues
VII de Lusignan (mort à la croisade en 1148), adopta le premier le
burelé d'argent et d'azur (les burelles sont les bandes horizontales
d'un écu, en nombre pair). Guy de Lusignan, roi de Jérusalem et de
Chypre, ajouta le lion rampant de gueules et couronné, bientôt
suivi, dès 1198, par les Lusignan de France. A partir de Hugues XI
(au milieu du XIIIᵉ siècle), les burelles ne sont plus chargées d'un
seul, mais de six lions. Quant aux Luxembourg, l'écu a été à l'origine d'argent au lion de gueules, les burelles ayant été ajoutées par
la suite en tant que brisure.

Antoine adopta donc ces armes qui réunissaient celles de sa femme et les siennes. Il prit congé d'elle. L'armée leva le camp et marcha à grand bruit vers la Bohême, faisant fuir tout le monde sur son passage. Elle traversa la Bavière et l'Allemagne et approcha de la Bohême. Mais j'en viens maintenant aux païens félons qui faisaient la guerre à la Bohême.

Le puissant roi de Cracovie faisait alors la guerre à la Bohême, avec une grande armée de Slaves, comme le disent nos sources, car il était seigneur de leur terre[29]. Il harcelait les Bohémiens et vint un jour ouvertement lancer une escarmouche devant Prague : il voulait planter sa bannière dans la ville. A cette vue, le roi Frédéric, qui gouvernait alors la Bohême, s'arme de toutes pièces et prend son heaume. Il fait ouvrir la porte et sort de la ville avec ses hommes, un grand nombre de nobles guerriers. Ils se jettent sur les Sarrasins, qu'ils tuent et massacrent en grand nombre. Mais il y avait tant de Slaves que je ne saurais les dénombrer. Les Bohémiens, effrayés, reculent devant les Slaves, qui les pourchassent jusqu'au bourg. Mais le bon duc de Luxembourg réglera bientôt la dispute ! Le roi de Bohême combat les Sarrasins de tous côtés. Ses hommes reculent, mais le roi ne recule pas, il se défend tant qu'il peut, abat et tue les Slaves : il fend l'un en deux de son épée, renverse l'autre de cheval. Le bon chevalier se défend comme le sanglier aux abois. Mais un trait d'arbalète l'atteint si cruellement qu'il tombe soudain mort. Son âme quitte son corps : que Dieu la garde ! C'était un valeureux guerrier, le meilleur d'ici jusqu'à

29. La moitié des manuscrits font régner ce roi sur *Craquo*, c'est-à-dire Cracovie, les autres sur *Traquo*. E. Roach (p. 39) choisit cette forme, qu'elle interprète comme « Rakus », l'Autriche en tchèque, car Ottokar, roi de Bohême, s'était approprié l'Autriche. Mais dans le roman de Coudrette, le roi de Bohême est précisément l'ennemi qu'assiège dans Prague le roi en question. En outre, Coudrette évoque plus loin « l'Autriche » : voir *infra*, p. 83.

Rome ! Alors s'élèvent les cris de deuil, rapportent les livres. Les Bohémiens présents pleurent, tout à leur douleur. Ils tentent de s'enfuir, mais les Sarrasins les suivent de si près qu'ils les rattrapent. L'épée à la main, ils en massacrent un grand nombre, au milieu des cris de détresse. Les survivants se réfugient dans la ville et rapportent la mort du roi, au grand désespoir de sa fille Eglantine, radieuse de beauté. Eglantine, la noble fille, tremble devant les païens. Les Praguois s'enferment dans la ville, tremblant devant les Sarrasins. Les Sarrasins, joyeux de la mort du roi, allument un grand feu sur lequel ils entassent un grand bûcher. Près de la porte de la ville, ils brûlent le roi devant ses hommes. Les assiégés, dans leur douleur, crient et grincent des dents, mais ils ne peuvent rien y changer. Mais voici venir Antoine et Renaud, qui assailleront les païens avec le noble roi d'Alsace : tous trois arrivent à Prague. Les bassinets brillent au soleil de tout leur éclat : c'est un noble spectacle. Ils avancent à vive allure, tandis que les Praguois, submergés, sont harcelés par les païens et voient leur nombre diminuer. La ville épouvantée se défend faiblement. Eglantine, dans sa détresse, voudrait être morte :

— Hélas, dit-elle, mon père est mort. Je ne suis qu'une orpheline sans père ni mère. Que deviendras-tu, Eglantine ? Je vois maintenant mon pays en ruine. Pauvre malheureuse, que deviendras-tu ? que peux-tu faire ? Sous tes yeux, les Sarrasins (Dieu les maudisse !) dévastent et pillent ton pays ! Je ne sais que faire ni que dire, je ne peux m'y opposer. Me faudra-t-il renier Dieu et embrasser la religion sarrasine ?

Eglantine se lamente et les Sarrasins attaquent la ville et s'efforcent de la prendre d'assaut. Mais tel croit réussir qui échoue, car Dieu œuvre en peu d'heures[30]. Tandis que les païens harcèlent les Bohémiens, un messager entre en hâte dans Prague en secret. Il s'écrie avec force :

30. Cf. Morawski, *Proverbes français antérieurs au XVᵉ siècle*, Paris, Champion, 1925, n° 2347 (Teus cuide gaingnier qui pert), 679 (En pou d'eure Deus labeure).

— Courage ! La ville sera bien défendue ! Résistez, le secours arrive à toute allure ! Voici venir le roi d'Alsace, qui amène Antoine et Renaud à votre secours. Ne craignez plus la mort ! Le noble duc Antoine et son frère Renaud le vaillant amènent de nombreux Poitevins nourris de bons vins. Les païens seront vite défaits et ne tiendront pas devant eux. Avec eux vient le roi d'Alsace, au secours de la Bohême !

Les barons, à ces paroles, rendent grâces à Dieu. Tous se défendent âprement et reprennent courage. Les Sarrasins comprennent vite qu'ils ont reçu du renfort ou de bonnes nouvelles, en les voyant ainsi changer de conduite. Ils voient venir un messager qui leur crie :

— Seigneurs, laissez-là l'escarmouche ! Regagnez vite le camp et quittez ce lieu ! Voici qu'arrivent des chrétiens à la rescousse des assiégés. Ce sont des hommes d'armes redoutables, dont la foule couvre tous les champs : ils viennent sur nous à toute allure !

Les païens s'enfuient rapidement, abandonnent l'assaut et regagnent le camp. Ils font sonner les trompettes, disposent leurs troupes en bataillons. L'armée d'Antoine, de l'autre côté, avance en ordre de bataille. Quand les deux armées se rapprochent l'une de l'autre, les Sarrasins sont remplis de crainte. Les chrétiens se jettent sur eux. Bien des écus sont transpercés. Les chrétiens pourfendent les Sarrasins, qui se défendent. Quel terrible assaut ! On ne voit que heaumes défoncés et percés. Renaud les abat deux par deux de ses coups prodigieux. Et Antoine les repousse de son côté, inspirant partout la terreur. Il s'attaque à un païen, que son heaume ne peut protéger : l'épée y pénètre, le fendant en deux jusqu'aux dents. Il tombe sur le sol, bouche bée. Les chrétiens se récrient et s'esclaffent du coup. Ils vont criant :

— Lusignan ! En avant, seigneurs barons, sus aux païens : nous les aurons !

Le roi de Cracovie, désespéré de voir ses hommes ainsi blessés, s'efforce de leur porter secours. Serrant son écu contre lui, il brandit violemment son épée,

abat un chrétien, le précipite, mort, à bas de son
cheval. Puis il lance avec force son cri de ralliement :

— Cracovie ! Chrétiens, vous allez tous mourir !
Vous ne pourrez pas m'échapper, vous mourrez tous
de ma main !

Mais Renaud, furieux, éperonne son destrier,
empoigne sa lame d'acier dont il frappe le roi avec une
telle force et une telle violence qu'il le pourfend jusqu'aux dents. Le coup descend tout droit. Le roi,
abattu par Renaud, tombe mort, semant la panique
parmi les siens. Les Sarrasins, sans plus attendre,
tournent bride. Voyant leur roi mort, ils se tiennent
pour défaits et prennent rapidement la fuite. Mais les
Poitevins les poursuivent, les frappent, les assomment,
les mettent en pièces comme de la viande à l'étal.
Antoine, le noble guerrier, a tué là bien des païens ; il
pourfend tout ce qu'il atteint. Et le roi d'Alsace, lui
aussi, se conduit noblement. Tous les païens furent
tués et demeurèrent morts sur place. Quand le roi
d'Alsace aperçut le roi de Cracovie, mort et déjà froid,
avec tant de païens, il ordonna à ses hommes de tous
les rassembler. Ils lui obéirent : on entassa les païens,
on mit le feu de tous côtés : les païens furent brûlés et
réduits en cendres. Le roi voulait par là se venger de
ces misérables, car le roi de Cracovie avait fait brûler
le corps de son frère. Antoine et Renaud s'installèrent
dans les tentes qu'ils trouvèrent toutes montées. Les
Poitevins se logèrent dans le camp pris aux Sarrasins.
Le roi d'Alsace laissa l'armée pour entrer vite dans la
ville, avec cent chevaliers parmi les plus vaillants et les
plus lestes. Eglantine vint à sa rencontre, gracieuse
dans tous ses gestes. Elle salua avec douceur le roi, qui
était son oncle ; et le roi la serra contre lui et l'embrassa.

— Ma nièce, dit le roi, je te garantis que la mort de
ton père est vengée. Ne t'afflige plus, tu as assisté à la
vengeance ! Le roi de Cracovie l'a tué, mais rentre tes
regrets : je l'ai fait brûler, avec ses hommes. Reprends
courage, c'est ce que veut la sagesse ! Les païens ont
fait du tort à ce pays, mais ils ont reçu leur dû. Tu

n'as plus à avoir peur. Ils s'imaginaient soumettre le pays : ils ont échoué. Ne prends pas cette mine défaite ! Il n'y a aucune honte à avoir : tu as remporté la victoire, et c'est pour toi un très grand honneur !

— Hélas ! dit-elle, monseigneur, mon oncle et mon très cher ami, comment cesser de pleurer à la pensée de mon père ?

— N'était-il pas aussi mon frère ? dit le roi. Mais la douleur doit s'estomper : prions Dieu de lui être miséricordieux ! Nous ferons demain ses obsèques et prierons Dieu pour lui.

Ainsi fut dit, ainsi fut fait. On brûla le lendemain mille livres de cire aux obsèques, pour illuminer l'église. Antoine et Renaud participaient à la cérémonie avec une conduite parfaite. Les Bohémiens contemplaient ces deux habiles compagnons, ces deux frères, ces deux guerriers. Ils ne pouvaient se rassasier de regarder leur haute taille et leur élégance. Mais beaucoup s'ébahissaient devant la patte de lion qu'ils voyaient en haut de la joue d'Antoine, le frère de Renaud, car elle se détachait nettement, à la surprise générale, et la taille du chevalier émerveillait les gens, qui n'avaient jamais vu la pareille. Les habitants de la ville disaient aussi de Renaud que c'était un homme habile, bien taillé pour déconfire un grand royaume ou un empire. Ils regrettaient qu'il n'eût qu'un œil, mais louaient tout le reste de sa personne. Pourquoi allonger mon récit ? Les obsèques, soyez-en sûrs, furent célébrées avec noblesse et honneur. Puis le roi tint conseil avec les nobles de Bohême, qui formaient une belle compagnie, et leur dit :

— Barons, écoutez-moi ! Il vous faut choisir celui qui gouvernera votre pays et remplacera le roi que vous avez perdu.

— C'est juste, répondent-ils, mais la décision vous incombe. Vous êtes responsable de ce choix, car si Eglantine mourait, la contrée vous reviendrait : vous devez donc régler la question. Hâtez-vous de donner au pays l'homme de votre choix, qui épousera Eglantine et gouvernera le pays !

— Pour ma part, répond alors le roi, je dis qu'il faut marier ma nièce, et je vous prie de me donner votre avis sur ce point.

— Seigneur, nous sommes à vos ordres ! Nous suivrons votre volonté et n'accepterons d'autre chevalier que celui que vous voudrez nous donner : nous nous en remettons à vous.

— Eh bien, laissez-moi faire, au nom de Dieu ! répond le noble roi. Vous aurez pour roi un homme de bien, un homme d'honneur, doux et courtois, qui sera votre seigneur. C'est un chevalier preux et hardi, le seul que je veuille vous donner. Il a pour frères, en vérité, deux rois et un duc de grande puissance. Son frère et lui sont venus de loin vous aider dans votre détresse, ils ont délivré des païens votre cité et votre contrée.

Il appelle aussitôt Renaud :

— Je vais vous tenir parole, dit le roi avec force. Avancez donc, Renaud, approchez-vous, mon cher ami ! Je vous avais promis de vous faire roi de ce pays ; je ne voudrais vous mentir pour rien au monde. Je veux réaliser cette promesse, car un roi ne doit pas mentir. Je vous donne ma nièce Eglantine, ainsi que le royaume, pour votre bonheur. Acceptez de la prendre pour femme et de défendre le royaume, car je vous fais maître de la femme et vous livre la terre !

A ces mots, Antoine répond sans plus attendre :

— Seigneur roi, je vous remercie de votre grande courtoisie. Renaud épousera Eglantine et saura défendre le pays : il gouvernera bien la terre, car c'est un vaillant homme de guerre.

Et les barons, en l'entendant, rendirent tous grâces à Dieu, ainsi qu'à leur dame ; car ils voyaient Renaud grand, fort et bien fait pour gouverner la terre. Le roi fit donc parer sa nièce, la belle Eglantine, ainsi qu'il convenait à une reine ; et Renaud lui aussi, se vêtit comme un roi. On célébra le mariage devant la noble assemblée des barons. La fête fut magnifique et dura bien quinze jours. On y distribua des dons somptueux, les plus beaux qu'on eût jamais vus : vêtements, coursiers et beaux joyaux, comme peuvent en donner des rois. Des joutes superbes se déroulèrent devant les nobles et gracieuses dames du pays, qui étaient plus de mille, sans compter celles de la ville : Renaud en remporta le prix. Les Bohémiens, fiers de leur seigneur, disaient tous d'une voix :

— Vive notre nouveau roi ! Nous avons bien choisi : béni soit celui qui nous l'a amené !

Au bout de quinze jours, les fêtes des noces prirent fin. Dames et demoiselles, toutes plus belles les unes que les autres, prirent alors congé, tout comme le duc Antoine, qui reprit la route de Luxembourg avec sa noble suite. Et le roi Renaud demeura en Bohême, grandement honoré dans le pays pour sa noble conduite des affaires : tous le couvraient d'éloges. Renaud mena de grandes guerres en Frise, et partit de là à la conquête de la Nordalbingie puis du Danemark. Il conserva sa puissance durant tout son règne et mena une vie exemplaire : on disait de lui qu'il n'était nul homme de pareille valeur d'ici à Rome. Mais je le quitte maintenant pour revenir au duc Antoine. Antoine revint de Bohême avec le sage et courtois roi d'Alsace jusqu'à Luxembourg. Ils prirent alors congé l'un de l'autre pour aller chacun de son côté. Le roi d'Alsace poursuivit son chemin et regagna son pays sans s'attarder à Luxembourg. Et Antoine rejoignit sa femme, qu'il venait d'épouser, qui l'aimait de tout son cœur et le lui montrait bien ; et plus que tout homme, il était digne de cet amour. Sa femme lui donna deux enfants : l'aîné, nommé Bertrand, fut un excellent chevalier ; le cadet, nommé Lohier, libéra tous les défilés de l'Ardenne aux grandes forêts : il y édifia de bonnes forteresses, et en premier Yvoy. Il fit construire sur la Meuse le noble pont de Mézières et conquit bien d'autres villes par sa prouesse : c'était un noble guerrier. Antoine livra une guerre terrible au puissant comte de Fribourg, le vainquit, traversa l'Autriche, où ses hommes, de pauvres, devinrent riches : il soumit tout

à son pouvoir et conquit plusieurs régions. Son fils
aîné Bertrand ne tarda guère à grandir : il prit pour
femme la fille du roi d'Alsace. C'était un bon chevalier plein de fougue et de hardiesse, bien plus que
je ne saurais le dire. A la mort du roi d'Alsace, il lui
succéda avec l'accord de tous, car il avait épousé la
fille du roi, dame de la contrée. Bertrand eut un
règne glorieux et gouverna sagement son pays.
Antoine et Renaud furent si puissants durant leur vie
qu'ils soumirent tous leurs ennemis.

La disparition de Mélusine

Assez parlé d'eux ! Je reviens à Mélusine et
reprends mon récit avec Raymondin et la façon dont
il gouvernait ses terres. C'était un excellent seigneur :
il conquit plusieurs pays à la pointe de l'épée. Il
porta sa bannière jusqu'en Bretagne et conquit tout
le pays, dont tous les barons, devant sa bravoure, lui
firent hommage. Mais Geoffroy la Grand Dent grandissait, fort et fier, vif et vigoureux. Il fit la guerre en
Guérandais pour y éprouver sa valeur : il y triompha
du géant Guédon, qu'il vainquit au combat. Ce géant
ravageait le pays ; tous le redoutaient fort et se réfu-
giaient jusqu'à La Rochelle, tant ils avaient peur. Il
exigeait des tributs d'un bout à l'autre du pays. Mais
Geoffroy, surnommé la Grand Dent, jura, à cette
nouvelle, qu'il irait à sa rencontre et qu'il saurait bien
le vaincre, avec l'aide du doux Roi de Gloire, qui
donne la victoire à qui il veut. Son père Raymondin,
désolé, songeait avec terreur à la taille monstrueuse
du géant et tremblait pour son fils. Mais Geoffroy la
Grand Dent revêtit ses armes et partit sans plus
tarder avec neuf compagnons. Revenons à Mélusine,
la douce dame, courtoise et bienfaisante, qui entre-
temps avait eu deux enfants, à ce que je lis dans mes
textes. L'un fut nommé Raymond, l'autre Thierry.
Quant à Fromont, il était devenu un homme de
grande valeur, un savant qui fréquentait souvent l'ab-

baye de Maillezais et s'y plaisait beaucoup : souvent
il venait y prier Dieu. Il était si religieux qu'il décida
de se faire moine de l'abbaye. Il quitta donc Maillezais pour rejoindre son père et lui présenter sa
requête : il voulait revêtir l'habit de moine à Maillezais. Raymondin, bouleversé, s'émerveille des
paroles de son fils Fromont.

— Comment, dit-il, seigneur Dieu ! voulez-vous
donc devenir moine ? Regardez votre frère Antoine et
tous vos autres frères bien-aimés, qui sont de si nobles
chevaliers ! Devenir moine ? Ce n'est pas possible !
Jamais, au nom de Dieu, vous ne serez prêtre ! Je vous
ferai entrer dans un autre ordre : je ferai de vous un
chevalier, comme vos frères !

Mais Fromont répond à son père :

— Jamais je ne serai chevalier, jamais je ne porterai
les armes : je veux prier Dieu pour vous, pour ma
mère et tous mes frères. Laissez-moi devenir moine, je
vous en supplie, dans l'abbaye de Maillezais : c'est
mon plus cher désir ! J'aime ce lieu et je veux y passer
ma vie : ne me le refusez pas, cher père, cela ne
dépend que de vous !

Raymondin voit bien qu'il lui faut céder. Alors un
messager se met en route, envoyé à Mélusine, qui était
alors occupée à bâtir la belle forteresse de Niort, avec
ses tours jumelles. Le messager lui transmet les
paroles de Raymondin : Fromont veut devenir moine
et prêtre à Maillezais ; Raymondin l'envoie vers elle en
toute hâte afin qu'elle décide du sort de Fromont et
dise si elle accepte qu'il porte la tonsure et devienne
moine cloîtré au beau couvent de Maillezais. Mélusine
lui répond :

— Va, et dis-lui de ma part qu'il agisse selon son
plaisir : je me soumets à sa volonté, et sa décision sera
la mienne !

Le messager s'en retourne donc sans plus attendre
auprès de Raymondin, qu'il trouve au matin, occupé à
se vêtir. Il transmet son message, qui remplit le comte
de joie. Raymondin, une fois chaudement vêtu,
appelle son fils Fromont :

— Fromont, dit-il, écoute-moi : j'ai fait demander à ta mère si elle acceptait vraiment de te laisser devenir moine. Elle s'en remet à moi de cette décision. Ainsi donc, Fromondin, puisque c'est ton désir, tu revêtiras les habits de moine. Mais les moines de Maillezais, que tu veux rejoindre, sont grossiers. Choisis donc un autre monastère ! Pourquoi pas Marmoutier ? C'est un lieu splendide ! Ou, si tu veux, le Bourg-Dieu, puisque tu veux être moine. Mais si tu veux être chanoine, tu seras chanoine de Poitiers. Et tu auras une situation trois fois meilleure, si tu te décides à être chanoine, car tu auras Tours en Touraine, avec la grande église Saint-Martin. Je déciderai de tout et ferai signer les chartes, même, si tu veux, pour Notre-Dame de Chartres ou Notre-Dame de Paris. Ne crains rien, je connais bien le pape, et rien ne m'est impossible ! Ensuite, tu seras évêque et tu n'attendras guère pour avoir l'évêché de Paris, de Beauvais ou d'Arras. Dis, Fromont, veux-tu être chanoine ?

— Non, dit Fromont à son père, je veux être moine de Maillezais, je vous l'affirme. Telle est la place que j'ai choisie et de ma vie je ne veux d'autre bien !

— Au nom de Dieu, lui dit Raymondin, puisque tu le veux, tu y seras et tu prieras Dieu pour nous.

— Je n'y manquerai pas, répond Fromont, si Dieu le veut.

Pourquoi tarder davantage ? Il revêtit l'habit de moine sous les yeux de tous, au cours d'une grande fête : la noblesse était venue en nombre, en l'honneur de Raymondin son père et de Mélusine sa mère. Tous les moines, joyeux, l'accueillirent de leur mieux, mais il devait leur en arriver malheur : tous périrent de la main de Geoffroy la Grand Dent, qui, rempli de douleur et de rage à cette nouvelle, vint sans répit à Maillezais et, dans sa folie, fit brûler moines, abbé et abbaye. Il brûla cent moines dans l'abbaye, un mardi, jour de Mars, le dieu des batailles. Tous furent brûlés sans remède. Puis il repartit sans plus tarder là d'où il venait. Vous apprendrez tout cela, n'ayez crainte, il suffit de m'écouter ! Mais laissons cela pour l'instant et revenons à Mélusine. Mélusine était à Vouvant et aérait ses vêtements[31]. Elle était arrivée depuis peu, en hâte, à la suite de Raymondin, qui y séjournait volontiers. Voici venir deux messagers qui apportent des lettres du puissant duc Antoine et de Renaud, le riche roi. Ils remettent les lettres à Raymondin, qui les prend et brise le sceau. Il lit les lettres en détail, le cœur plein de joie. Vite, il appelle Mélusine, qui arrive sans retard.

— Regarde donc ces lettres !

— Merci, Raymondin, lui répond Mélusine. Nos affaires sont prospères. Je connais bien toutes ces nouvelles : elles sont toutes et bonnes et belles. J'en rends grâces à Notre Seigneur, qui a comblé nos fils d'honneur. Parmi nos chers fils, nous avons trois rois et un duc, je le sais bien. Et en outre, Dieu en soit loué ! nous avons tout près d'ici un fils, moine dans une abbaye, qui prie Dieu tous les jours pour nous. Il demeure à Maillezais et prie Dieu de nous venir en aide. Puisse-t-il tant prier Dieu que celui-ci ne nous oublie jamais ! Nos cinq fils sont bien nantis et pleins de sagesse. Il en reste quatre qui courent dans cette demeure : Dieu veuille qu'ils puissent parvenir à de hautes destinées ! Ils n'y manqueront pas, avec l'aide de Dieu et de Sainte Marie !

Les nouvelles apportées par les lettres eurent tôt fait de se répandre partout, pour le plus grand plaisir de tous. Quinze jours se passèrent ainsi dans la joie et les réjouissances, à festoyer entre amis.

Il arriva, un samedi, que Raymondin vit disparaître Mélusine, comme bien d'autres fois. Il n'avait jamais

---

31. Voir sur cette coutume *Le Ménagier de Paris*, II 3, 11, p. 132 : « Surquoy sachiez et dictes a voz femmes que pour conserver et garder voz pennes et draps, il les convient essorer souvent pour eschever les dommages que les vers y peuent faire. Et pour ce que telle vermine se congree par remollissement du temps d'amptone et de yver, et naissent sur l'esté, en iceulx temps couvient les pennes et les draps mectre a bon souleil et beau temps et sec. »

cherché à savoir où elle allait ni ce qu'elle faisait, car il ne pensait pas à mal. Mais il se trouva que ce jour-là son frère, qui possédait la terre de Forez depuis la mort de leur père, arriva à Vouvant. Le temps était doux, sans vent ; c'était une journée belle et claire. Raymondin, voyant venir son frère, le reçut dignement ; mais il devait lui en arriver malheur. Les barons étaient venus à la fête, célébrée avec faste et noblesse, avec un grand nombre de dames, qui les accompagnaient à cette occasion. Le comte de Forez dit alors :

— Raymondin, cher frère, pour l'amour de moi, je vous en prie, faites venir votre femme !

— Écoutez, cher frère, répond Raymondin, vous la verrez demain.

Ils prennent place au repas (la fête était superbe) et, aussitôt après le dîner, se lèvent de table. Le comte de Forez, aussitôt, prend son frère par la main et se met à lui dire :

— Raymondin, cher frère, en bonne foi, je crois que vous êtes victime d'un enchantement. C'est ce que dit la rumeur publique, et je ne sais comment vous pouvez supporter cette honte : vous devriez y mettre un terme. On dit partout, je vous le rapporte, que vous n'avez pas le courage de demander à votre femme où elle va ni à quoi elle s'occupe : c'est un véritable déshonneur pour vous ! Et que savez-vous de ce qu'elle fait ? On dit partout (Dieu me protège !) qu'elle trahit toutes les règles de morale et que, ce jour-là, elle se donne à un autre et vous trompe. D'autres disent, sachez-le bien, que ce jour-là elle s'en va chez les fées. Frère, efforcez-vous de savoir ce qu'elle va chercher, le samedi : vous ferez bien. Je vous parle sans détours, comme à mon frère : agissez aux yeux de tous, je suis sûr qu'elle vous déshonore !

Raymondin, bouleversé, tremblant de chagrin et de colère, ne sait que répondre. Il court chercher son épée. Il sait bien dans quelle pièce sa femme est entrée et s'y rend, alors que jamais il ne s'en était approché. Il voit devant lui une porte de fer. Il réfléchit longuement mais se disant que sa femme est criminelle et le trahit, il tire son épée du fourreau, la pointe contre la porte. A force de l'enfoncer, il transperce la porte de fer. Hélas ! qu'il agit mal ce jour-là ! Il devait en perdre et la joie et l'honneur. Il presse son œil contre le trou, regarde à l'intérieur, impatient de connaître le secret. Mais il ne le saura que trop tôt, et n'en tirera que chagrin. Il regarde et découvre Mélusine au bain : il la voit, jusqu'à la taille, blanche comme la neige sur la branche, bien faite et gracieuse, le visage frais et lisse. Certes, on ne vit jamais plus belle femme. Mais son corps se termine par une queue de serpent, énorme et horrible, burelée d'argent et d'azur[32]. Elle l'agite violemment dans l'eau. A ce spectacle, Raymondin, qui jamais ne l'avait vue se baigner sous cette forme, se signe, rempli de frayeur. Il implore le secours de Dieu, il a si peur qu'il ne peut presque plus parler. Mais afin de boucher le trou, il découpe un petit morceau de tissu qu'il écrase avec de la cire : il bouche le trou hermétiquement, afin d'empêcher quiconque de voir l'intérieur de la pièce. Puis il s'éloigne et rejoint son frère, plein de douleur et de colère. Le comte voit bien quelle douleur étreint son frère et s'imagine qu'il a trouvé sa femme déshonorée. Il lui dit :

— Frère, je savais bien que votre femme ne suivait pas le droit chemin et qu'elle vous trompait, comme tout le monde le disait.

Mais Raymondin prend la parole d'une voix forte :

— Vous en mentez par votre gueule de fourbe ! Maudite soit l'heure où vous êtes entré dans ma maison ! Dehors ! Ne parlez plus de la dame : elle est pure, irréprochable ! Il n'est nulle femme de sa valeur. Vous m'avez fait commettre un geste qui se retournera contre moi. Partez vite d'ici, coquin ! Sur ma foi, j'ai bien du mal à m'empêcher de vous tuer ! Allez-vous-en ! Partez d'ici ! C'est pour mon malheur que vous êtes venu et que j'ai écouté vos paroles ! Ne remettez plus les pieds ici !

32. Mélusine porte les armes de Lusignan : voir *supra*, note 28.

Il est dans une telle rage que la foule s'émerveille de l'entendre parler ainsi à son frère. Le comte s'en va, stupéfait, et regagne son pays, maudissant le jour et l'heure où il a prononcé ces paroles. Il voit bien qu'il ne retrouvera jamais l'estime et l'amour de son frère. Il est plus malheureux qu'on ne le fut jamais d'avoir ainsi chagriné Raymondin, et il a bien raison, car ces paroles devaient lui valoir la mort : quand Geoffroy la Grand Dent sut l'affaire, il accourut dans son pays, qu'il mit à feu et à sang. Il infligea au comte de Forez une mort honteuse, puis donna la terre qu'il avait conquise à un de ses frères, qu'il fit comte de Forez. Mais assez parlé de Geoffroy la Grand Dent, revenons à Raymondin, tout entier à son deuil. Il pleure, gémit et se lamente, ne cesse de changer de couleur, inconsolable dans sa douleur :

— Hélas, hélas ! il n'est au monde plus misérable que moi, assurément ! Hélas ! Mélusine, aujourd'hui, par ma faute, je t'ai perdue ! J'en frémis, j'en suis malade de chagrin. Hélas ! faut-il que je te perde, mon amie, mon cœur, mon bonheur, mon amour, ma vie ? C'est toi, Fortune douloureuse, qui me fais perdre ma joie, celle qui m'avait fait ce que je suis ! Que faire ? Me jeter dans un puits ? Que faire, Dieu, cher seigneur ? Finis les rires et les tendresses de la belle que j'aimais tant ! Elle était ma consolation et ma joie, mon bonheur et mes délices !

Il se déshabille et se met au lit, mais ne peut s'endormir ; il soupire et pleure sans relâche :

— Ha, Dieu ! dit-il, que faire et que devenir, Mélusine, si je te perds ? J'irai vivre dans le désert comme un reclus ou un ermite, dans un lieu écarté et inhabité. Ha, Mélusine ! noble dame, mon cœur, mon amour, mon bonheur, dois-je te perdre pour une telle malchance ?

Il s'arrache les cheveux, se frappe la poitrine, ne cesse de pleurer Mélusine. Il se tourne et se retourne dans son lit, incapable de rester immobile, tantôt sur le dos, puis sur le ventre. C'est alors que Mélusine pénètre dans la chambre, et aussitôt entrée, se déshabille et court vite au lit pour se coucher près de Raymondin. Elle le prend dans ses bras, le serre contre elle et lui trouve le cou tout froid. Le cou ? Non pas, mon Dieu ! mais tout le corps, car il s'était découvert, tant il s'était débattu et retourné : il était en bien mauvais point. Mélusine lui dit alors tout bas :

— Mon époux, qu'as-tu donc, hélas ? Sens-tu quelque mal ? quelque douleur ? Tu es si pâle ! Dis-le-moi, je t'en prie ! Hélas ! ne suis-je donc pas ton amour ? Il ne faut rien me cacher. Je saurai bien te guérir, ne te tourmente pas ! Dis-moi si tu as mal, soulage tout de suite ton cœur, et tu seras aussitôt guéri !

Raymondin, à ces paroles, est tout heureux : il croit qu'elle ne sait rien de ce qu'il a fait. Elle le sait fort bien pourtant, mais elle se tait, parce qu'il n'a rien révélé à personne et qu'il se repent sincèrement, cent fois plus même que je ne le dis.

— J'ai eu très chaud, lui dit-il, comme si j'avais la fièvre. Mais après avoir brûlé, voici maintenant que j'ai froid.

— Tu seras vite guéri, répond-elle, ne t'inquiète pas !

Elle le serre contre et elle et l'embrasse, ce qui le comble d'aise. Ils vécurent ainsi longtemps encore, menant une vie heureuse.

Mais reprenons les aventures de Geoffroy la Grand Dent ! Geoffroy galope vers Guérande, demandant où il peut trouver le géant : il veut se battre avec lui. Il a tôt fait de découvrir le rocher où vit le géant Guédon, l'orgueilleux, dont la hauteur et la force sont prodigieuses. Il saute de cheval, s'arme sans plus attendre et remonte en selle, sans peur du géant. Il prend une massue d'acier, qu'il fixe à son arçon. Puis il empoigne son écu, qui lui a coûté cher, et sa lance au fer acéré. Dieu le protège ! Quel courage ! Il recommande à Dieu ses hommes qui, tous, pleurent leur maître, persuadés qu'ils ne le reverront jamais. Geoffroy leur dit :

— Taisez-vous donc, et n'ayez pas peur ! Vous pouvez être sûrs, je vous le garantis, que je vaincrai le

géant, avec l'aide de Dieu le Père et de sa Glorieuse
Mère !

Il les quitte sur ces adieux et s'en va seul, parvient
au rocher, l'escalade jusqu'au château dressé au
sommet. Il a vite fait d'arriver au pont-levis et s'écrie
d'une voix puissante :

— Où es-tu, traître, où es-tu ? Je te tuerai, pour
avoir fait la guerre à mon pays depuis si longtemps ! Je
ne partirai pas d'ici avant de t'avoir tué ou vaincu !

Le géant est en haut de son donjon, dans la galerie. Il
entend la voix du noble guerrier : en deux bonds, il
passe sa tête (de la taille de celle d'un taureau) par le
créneau. Il voit Geoffroy la Grand Dent et ne fait pas le
moindre cas de lui : le héros était pourtant d'une belle
taille, comme le géant n'en avait jamais vu. Mais malheur à lui ! Guédon le jure sur ses dieux : il se tient pour
déshonoré de voir qu'un seul homme vient lui faire la
guerre et le chercher dans sa forteresse. Il s'arme et
descend sur-le-champ ; mais c'est pour son propre malheur. Il va prendre une faux d'acier bien trempé, qui n'a
rien de tendre ! Puis il prend trois grands fléaux de fer et
fixe trois gros marteaux à sa ceinture. Il descend le
pont-levis pour sortir. Le géant était grand et robuste :
quand il se dressait de toute sa hauteur, il mesurait
quinze pieds[33]. Geoffroy, s'approchant de lui, s'émerveille de sa taille. Mais il n'a pas peur pour autant, il ne
ressent pas la moindre frayeur. Au contraire, il lance
fièrement son défi et vient vers lui vivement.

— Qui es-tu ? lui dit Guédon, réponds-moi !

— On me nomme Geoffroy la Grand Dent, je ne
cache jamais mon nom ! Défends-toi, j'en veux à ta
tête !

— Malheureux, dit Guédon, que veux-tu faire ? Je
vais te tuer d'un seul coup ! Retourne-t'en, mon
pauvre enfant[34] ! J'ai pitié de toi, en te voyant si jeune

33. Le pied valait 0,324 m.
34. E. Roach substitue ici par erreur les vers 3350-3351 aux vers
3305-3306 (« A un seul coup t'avray occis./ Or t'en retourne, mon
beau fils !) Voir le compte rendu de M. Perret, *Romania* 105, 1985,
p. 550.

et si vaillant. Geoffroy, va-t'en, je te le demande par amitié !

— Tu es fou ! lui répond Geoffroy. N'aie pitié que de ta vie, car elle s'achèvera bientôt, c'est sûr, sous la lame de mon épée ! Défends-toi, car tu vas mourir ! Tu ne m'échapperas pas !

Mais le géant ne tient aucun compte de ses paroles. Geoffroy s'élance contre lui de toute la vitesse de son cheval. Que Dieu le secoure ! En pleine poitrine, il assène au géant un coup d'une telle violence que par la seule force de son courage, il l'a renversé, tout étourdi. Le géant se relève :

— Tu me fais là un beau cadeau : il est juste que je te le rende !

Il saute sur ses pieds, furieux d'être tombé à terre pour un seul coup d'un seul chevalier. Il empoigne sa lame d'acier. Quand Geoffroy revient à la charge, ce qu'il fait sans tarder, Guédon lève sa lame d'acier de la main gauche et tranche les deux jarrets du cheval de Geoffroy, qui tombe sur le sol. Mais Geoffroy a vite fait de sauter de son destrier et de dégainer son épée. Il se précipite sur le géant, le frappe au bras gauche, comme un bon chevalier, et lui fait tomber la faux de la main. Il ne devait plus en avoir besoin, car Geoffroy continue à manier l'épée et le blesse grièvement à la hanche. Mais Guédon lui en veut à mort : il s'approche de lui, avec son fléau, qu'il lui abat sur le heaume : Geoffroy, étourdi et abasourdi, manque tomber à terre. Alors il remet son épée au fourreau et vient à son cheval prendre sa massue, dont il porte au géant un grand coup qui le fait chanceler et lâcher son fléau. Guédon saisit l'un de ses marteaux, qu'il lance de toutes ses forces contre Geoffroy, si brutalement qu'atteignant sa massue, il la lui fait voler des mains. Mais Geoffroy ne se laisse pas désavantager. Le géant saute prendre la massue : Geoffroy tire l'épée et en donne un tel coup qu'il tranche au milieu le bras du géant : voilà sa revanche. Bras et massue tombent dans le pré ; le géant est éperdu de douleur. Affolé d'avoir perdu un bras, il lève le pied pour frapper Geoffroy, mais manque son coup. Geoffroy l'esquive et lui donne sur la jambe un si prodigieux coup d'épée qu'il lui coupe la jambe en deux. Le géant tombe, implorant ses dieux de lui venir en aide. Mais Geoffroy lui offre sur la nuque un coup auquel nul heaume ne pourrait résister. Il tranche en deux le heaume et fend le crâne du géant jusqu'aux dents. Puis du tranchant de l'épée, il lui coupe la tête. Il prend alors son cor sarrasin, qu'il fait résonner hautement deux ou trois fois. Ses hommes, à ce son, accourent vers lui et le trouvent dans le pré où il a vaincu le géant. Ils restent ébahis devant sa taille et disent à Geoffroy :

— Il fallait être d'un orgueil démesuré et effréné pour attaquer cet homme ! Comment avez-vous donc pu vaincre ce démon ? C'est un exploit, seigneur !

— Messeigneurs, répond Geoffroy, à tort ou à droit, il le fallait, car je ne pouvais reculer : il me fallait défendre ma vie, et c'est ce que j'ai fait, Dieu soit loué ! Je l'ai vaincu, vous le voyez.

Ils pénètrent dans le château, qui est immense et superbe. On apprend l'exploit dans la région. Que vous dire de plus ? Petits et grands sont heureux et soulagés de savoir que Geoffroy a abattu le géant et l'a étendu raide mort. Ils lui donnent la seigneurie de la terre qu'il avait délivrée de la guerre. Un sage et courtois messager s'en va à Vouvant dire à Raymondin que Geoffroy a abattu et mis à mort le farouche géant. Raymondin éclate de joie. Mélusine, sans tarder, accueille gracieusement le messager et lui fait un magnifique présent. Et Raymondin, voulant écrire, prend du papier et de la cire, et fait rédiger une lettre par son secrétaire ; il dicte la lettre et y appose son sceau. Il informe Geoffroy, qui est en Guérandais, que Fromont a reçu les ordres et qu'il est moine à l'abbaye de Maillezais, un lieu de dévotion où il veut passer sa vie et prier Dieu pour ses amis. Hélas ! il eut bien tort de faire cette lettre, qui devait faire son malheur et lui faire perdre Mélusine, qu'il aimait d'amour loyale !

Laissons là le doux et courtois Raymondin et Mélusine son épouse, la plus noble des femmes, et revenons à Geoffroy la Grand Dent. Il était en Guérandais, fêté par tout le pays pour le meurtre du géant : tous en étaient joyeux. Voici venir, à toute allure, un messager de Northumberland. Il demande Geoffroy la Grand Dent, qu'on lui désigne aussitôt, et lui présente sa lettre.

— Seigneur, dit-il, au nom de Dieu, veuillez m'écouter ! Il est venu en Northumberland l'homme le plus grand qu'on ait jamais vu. C'est un géant prodigieux, terriblement cruel et dangereux. Il fait la guerre à tout le pays, dévaste et détruit toute la terre. Les seigneurs du pays vous supplient, par charité, de bien vouloir les secourir, car ils n'ont confiance qu'en vous. Et hâtez-vous de venir avant que le géant n'ait tout détruit ! Tous se livreront à vous et vous reconnaîtront pour seigneur. Ouvrez seulement cette lettre, vous trouverez tout cela écrit. Ils ont trouvé dans les sorts que vous tuerez le terrible géant.

Geoffroy rompt le sceau, lit la lettre de bout en bout et dit :

— Tout cela est vrai, messager, vous n'avez pas menti. Je vous le jure sur la Sainte Croix et sur mon nom de Geoffroy la Grand Dent : ni pour terre, ni pour richesse, je ne veux maintenant partir d'ici. Mais je secourrai ce pays le plut tôt que je pourrai, car j'ai pitié de ce peuple. Pour l'amour de la foi chrétienne et aussi pour l'honneur à conquérir, je ferai la guerre au géant : je viendrai bientôt.

Geoffroy fait vite ses préparatifs. Mais voici le messager de son père, qui lui tend la lettre de Raymondin. Geoffroy la lit et voit que son frère s'est fait moine : il aurait préféré le voir pendu. Il la relit encore, le cœur plein de deuil et de chagrin, malgré sa joie d'apprendre que son père et sa mère Mélusine sont en bonne santé, nouvelle qui le réjouit fort. Mais l'entrée dans les ordres de son frère Fromont l'accable de douleur. Le dépit lui fait perdre la raison. De colère, il devient rouge comme le sang, sue et écume comme un sanglier[35]. On ne saurait le regarder sans trembler de peur. Il se met à crier :

— Ces flatteurs, ces moines fourbes, ces trompeurs ont, par la Sainte Trinité, ensorcelé mon frère Fromont ! Maudits soient-ils de l'avoir poussé à devenir moine ! Ils en ont fait un moine tonsuré, mais ils s'en repentiront ! Mais je m'attarde trop ! Je les verrai avant de mourir : je vais y aller tout de suite, et je les ferai tous brûler dans le même feu !

Il dit au messager de Northumberland :

— Ami, attendez-moi ici et ne vous inquiétez pas ! Je reviendrai bientôt et j'irai avec vous pour tuer le géant, je vous le garantis !

L'autre n'ose pas le contredire et lui répond :

— Très bien, seigneur, il suffit que vous le vouliez : je resterai dans cette demeure sans en bouger jusqu'à votre retour.

— C'est bien parlé ! répond Geoffroy.

Puis, s'adressant aussitôt à ses hommes :

— En avant, à cheval ! Je volerai par monts et par vaux jusqu'à Maillezais !

Geoffroy se met donc en route, le farouche, cruel et hardi guerrier. Il a si bien cheminé qu'un mardi, il est arrivé à l'abbaye de Maillezais, qu'il déteste tant. Les moines étaient réunis en chapitre et l'abbé faisait lire une épître par l'un des moines. Voici Geoffroy entré. Dès que les moines l'apprennent, ils viennent tous à sa rencontre, les petits comme les grands ; tout le couvent le salue, réjoui de sa visite. Mais Geoffroy, enragé et coléreux, interpelle brutalement l'abbé, qui portait la tonsure. Il dit au seigneur abbé :

---

35. Jean d'Arras se contentait de rapprocher implicitement Geoffroy la Grand Dent et le sanglier responsable de la mort du comte de Poitiers, en soulignant parallèlement la dent qui saille de la bouche du héros et sa *furor*, sa folie guerrière. Coudrette est le seul à identifier explicitement Geoffroy à un sanglier. Les illustrateurs des manuscrits et des éditions imprimées souligneront cette assimilation. Voir S. Roblin, « Le sanglier et la serpente », et L. Harf-Lancner, « L'illustration des deux romans de Mélusine dans les manuscrits enluminés ».

— Abbé, pourquoi avez-vous poussé mon frère à devenir moine en ces lieux et à abandonner la chevalerie pour prendre les ordres ? Vous avez eu tort, croyez-moi, car vous avez ainsi provoqué votre mort ! Pour cela, vous mourrez misérablement, vous et tout votre couvent !

Il fronce les sourcils, grince des dents : tous les assistants prennent peur à sa vue. Les moines pleurent et gémissent dans leur frayeur. Le seigneur abbé lui répond :

— Seigneur, la décision vient de lui, non de moi, et je le crois sincère. C'est la dévotion qui l'a poussé à entrer dans les ordres, c'est la vérité. Voici Fromont : interrogez-le donc, je vous en prie !

— Frère, dit Fromont, en vérité, je vous le jure, nul autre que moi-même ne m'a fait devenir moine. Je suis moine, je le resterai ; je prierai Dieu ici pour lui. Je n'ai demandé conseil qu'à Dieu, à qui je me suis donné. Mon père et Mélusine, ma mère, ont approuvé ma décision : ils acceptent que je passe ici ma vie comme moine et que je prie Dieu, cher frère, pour eux et pour vous, de tous nous mettre au Paradis.

Geoffroy l'écoute, presque fou de rage, enflammé de douleur, de colère et d'une fureur prodigieuse. Il s'en va en tirant toutes les portes derrière lui et en enfermant tous les moines à l'intérieur. Puis il envoie chercher en toute hâte de la paille et des bûches en quantité, dans son désir de faire le mal, et il fait tout entasser, à l'étonnement général. Il prend du feu et enflamme le bûcher. D'abord on ne voit rien, à cause de la fumée. Puis quand le feu a bien pris, il attaque l'abbaye. Le feu enflamme l'église, prenant au piège tous les moines : pas un seul n'en réchappa. Geoffroy, ce jour-là, brûla l'abbé et cent moines, pas un de moins, dans la douleur et la honte. Et du même coup, il détruisit et brûla la plus grande partie de l'abbaye, sans laisser un seul moine : tous furent brûlés dans la honte et la douleur. Quand il comprend sa faute, il s'écrie :

— Hélas, malheureux, qu'as-tu fait ? pourquoi as-tu ruiné ce beau monastère ?

Il ne cesse de pleurer son frère, l'abbé et tout le couvent. Le fou ! Il ne peut plus les retrouver, pour rien au monde. Il gémit, il se désole, il pousse des soupirs et des lamentations de remords. Il s'éloigne, monte à cheval, volant par monts et par vaux. Il est dans la peine et le tourment pour son frère, qu'il a brûlé avec tant de bons religieux.

— Dieu, cher seigneur, dit-il alors, que va devenir mon âme ? Qu'en sera-t-il de moi ? Nul descendant d'Adam n'a si bien mérité la damnation ! Je suis mauvais, fourbe, déloyal, plus pécheur que Judas. Jamais je ne verrai le visage de Dieu le Père, je le sais bien. Mort, viens à moi ! emporte-moi !

Geoffroy se désole en ces termes, mais à force de chevaucher, le voilà parvenu en Guérandais, désespéré du crime qu'il a commis. Il y retrouve le messager qu'il y a laissé, tout joyeux de le voir. Sans plus tarder, Geoffroy s'en va, sans demander congé à personne, en Northumberland, avec le messager du pays qu'on avait envoyé le chercher, et dix de ses hommes. Il veut faire vite et le voilà déjà dans le port, fêté par tous, avec le messager qui guide ses chevaliers. On hisse la voile, on lève l'ancre aussitôt ; les marins prennent la mer, non sans faire le signe de croix au départ. Le vent est favorable, ils fendent les flots et sont vite bien loin.

Quittons Geoffroy pour retrouver Raymondin, qui était à Vouvant, où il aimait souvent se tenir, le noble chevalier, avec Mélusine, son épouse. C'est à Vouvant que tous deux devaient bientôt connaître douleur et épreuves. Ils étaient assis à table, quand arrive un messager qui les salue humblement, tout pâle de peur à l'idée du message qu'il lui faut donner. Raymondin lui dit aussitôt :

— Bienvenue, courtois messager !

Il veut lui demander des nouvelles, savoir d'où il vient. Hélas ! le messager apporte une nouvelle, mais il est bien chagrin de la dire, car c'est une mauvaise nouvelle, porteuse de chagrin, qui fera perdre à Raymondin la compagnie de la sage Mélusine, et pour toujours cette fois. C'est le dernier repas qu'il partage avec sa femme, la noble dame sans reproche. Le messager prend la parole :

— Seigneur, écoutez-moi ! Je dois parler, quoi qu'il m'en coûte : l'un de vos enfants est mort.

— Lequel ? dit Raymond.

— Seigneur, c'est Fromont.

— Dis-moi comment il est mort ! Est-il déjà enterré ? Que Dieu ait pitié de son âme ! A-t-il eu des funérailles solennelles à Notre-Dame de Lusignan ?

Le messager s'écrie :

— Mon cher seigneur, je vous le jure, il n'aura jamais de sépulture !

Il raconte alors devant tous comment Geoffroy, dans sa démence, a déshonoré, brûlé et réduit en cendres l'abbaye de Maillezais, avec Fromont, les moines et l'abbé : pas un seul n'en est réchappé. Il a fermé les portes pour les empêcher de s'enfuir et pour les brûler tous ensemble, dans sa colère de voir Fromont devenu moine. A ces mots, Raymond fait le signe de la croix, plongé dans la douleur. Il interroge encore le messager et lui enjoint impérativement de lui dire la vérité.

— C'est là une terrible cruauté. Est-ce bien vrai ? Prends garde à ne pas mentir !

— Si cela est vrai, seigneur ? Je peux vous l'affirmer : c'est bien vrai, que Dieu m'aide ! Je l'ai vu de mes yeux !

Raymondin, à ces mots, change de couleur : sa douleur est infinie. Il monte à cheval sans tarder et galope d'un trait jusqu'à Maillezais. Il trouve la ville dans l'affolement, accusant Geoffroy. Il voit l'étendue des dommages : l'abbaye brûlée et déserte. Regardant de tous côtés, il voit que les moines sont tous brûlés, il voit la prodigieuse aventure. Alors il jure solennellement, sur le Dieu qui mourut en croix, qu'il mettra Geoffroy à mort pour ce crime, et d'une mort cruelle. Qu'il puisse seulement le tenir, il lui infligera une mort déshonorante ! Puis il remonte à cheval, dans une douleur et une colère indicibles. Il ne demeure pas plus longtemps à Maillezais et s'en retourne, au galop de son cheval, jusqu'aux tours du noble château de Vouvant ; son cheval file comme le vent. Il entre dans le château, met vite pied à terre et court s'enfermer dans une chambre. Il commence alors sa plainte et sa lamentation :

— Ha ! dit-il, Fortune insensée ! tu n'as pas été mon amie ! Tu me hais plus que tous les hommes ! Hélas ! pourquoi cet acharnement ? D'abord, tu m'as été bien hostile, quand tu as fait de moi le meurtrier du noble comte de Poitiers, Aymeri le bon chevalier. Si je l'ai tué à la clarté de la lune, c'est par ta faute, dame Fortune ! Hélas, c'était un preux qui n'avait son égal d'ici jusqu'à Rome ! Puis tu m'as fait, à la légère, prendre pour femme cette fée, cette maudite serpente. N'ai-je pas raison de pleurer ? Elle m'a donné dix beaux enfants, mais l'un d'entre eux est mort, pour mon malheur, celui qui était devenu moine dans une abbaye pour mener une vie plus sainte. Et c'est son frère qui l'a tué ! Aucun des enfants de cette femme, j'en suis sûr, ne fera jamais rien de bon. Ils sont viciés dès l'origine. Et par la larme de Vendôme[36], je crois que ce n'est qu'un fantôme. Ne l'ai-je pas vue dans son bain ? J'étais tout près d'elle, devant un trou de la porte. De la tête jusqu'à la taille, elle était femme, belle et gracieuse ; mais au-dessous elle était serpente. Serpente ? Oui, c'est la vérité, avec une queue burelée d'argent et d'azur, dont elle battait et agitait l'eau. J'en suis resté horrifié. Tout homme se serait enfui en la voyant dans cet état : c'était un épouvantable spectacle. Que Dieu me protège des pièges du diable et me garde dans la foi catholique !

A ce moment, Mélusine ouvre la porte, sans peine, car elle avait la clef. Avec elle entrent dans la chambre, devant Raymondin, des chevaliers, des dames et des demoiselles, des écuyers et des suivantes. Tous entrent dans la chambre. Raymondin, désespéré,

---

36. L'abbaye de la Sainte Trinité de Vendôme possédait la Sainte Larme du Christ, versée sur le tombeau de Lazare.

blême, voit venir sa femme. Voici qu'une immense douleur le menace, lui et celle qu'il aime ; voici venir le dur moment de la séparation, comme vous allez l'entendre. Mélusine, sur-le-champ, dit à son mari :

— Ne te désespère pas pour un malheur que tu ne peux pas réparer ! Mon amour, loue Dieu dans toutes ses œuvres, car il peut faire ce qu'il veut. Bien fou qui pleure un malheur qu'il ne peut réparer ! Il faut renoncer à ce deuil. Geoffroy a péché envers Dieu en détruisant la belle abbaye de Maillezais. Mais il peut encore faire sa paix avec Dieu par le repentir, et faire pénitence en imposant des épreuves à son corps, car Dieu n'est que miséricorde. S'il connaît la contrition et fait une confession sincère, je suis sûre que Dieu aura pitié de lui. Dieu ne veut pas la mort du pécheur ; il aime mieux le laisser vivre pour qu'il se repente et retrouve la voie du Bien.

La dame parle avec sagesse, mais Raymondin est furieux et désespéré. Il perd la raison et prononce une parole dont il ne pourra pas assez se repentir jusqu'à sa mort. Il la fixe d'un regard farouche et orgueilleux et, après quelques secondes de réflexion, la folie s'empare de lui et lui fait prononcer devant tous d'une voix forte ces paroles impitoyables :

— Ha, serpente, ta lignée n'arrivera jamais à rien de bon ! Voici un beau début : ton fils Geoffroy la Grand Dent a brûlé cent moines, dont ton fils Fromont, que j'aimais tant, puis s'en est allé ! C'est ton fils Geoffroy qui les a tous tués. Mais ils n'ont pas connu le froid de la mort, ils ont tous eu très chaud ! J'y suis allé, j'ai tout vu : ton fils Geoffroy les a tous brûlés !

Hélas ! le malheureux, quelle folie d'avoir prononcé ce mot ! Il a commis une terrible faute. Il va perdre Mélusine et ne la reverra plus jamais. En entendant ce mot, Mélusine ne peut plus se soutenir : elle tombe évanouie, le cœur serré de douleur, et reste à terre une bonne demi-heure, inanimée. Les barons la relèvent doucement, sans la blesser. Un chevalier s'approche aussitôt, lui humecte le visage d'eau fraîche quinze ou vingt fois. Enfin elle retrouve ses esprits.

Elle adresse tendrement à Raymondin ces paroles pitoyables :

— Hélas ! hélas ! Raymondin, quel malheur de t'avoir rencontré ! Quel malheur d'avoir vu ta beauté et ton allure gracieuse ! Quel malheur d'avoir vu, à la fontaine, la grâce de ta personne, qui a fait naître mon amour ! Quel malheur que de t'avoir aimé en cette triste journée ! Quel malheur d'avoir vu ta noble stature, la grâce de tes gestes ! Quel malheur que d'avoir vécu l'heure et l'instant de notre première rencontre ! Ta trahison, ta fausseté, tes paroles perfides, ta cruauté et ta langue sans frein m'ont plongée dans une peine éternelle dont je ne sortirai jamais, que j'endurerai sans cesse, jusqu'au dernier jour, quand il plaira à Notre Seigneur de venir juger les vivants et les morts. Plus jamais tu ne verras mon clair visage, perfide trompeur, perfide parjure, chargé de vices et de reproches, perfide amant, perfide menteur, perfide traître, perfide chevalier ! Tu as bien mal tenu la parole que tu m'avais donnée ! Tu l'as payé cher ! J'avais supporté ta faute, quand tu m'as vue dans mon bain, parce que tu n'en avais parlé à personne. Le démon ne le savait pas. Mais dès que tu as révélé le secret, il l'a su, et il t'arriverait malheur si je demeurais avec toi. Mais bientôt tu comprendras la perfidie de ton parjure. Si tu m'avais gardé ta foi, je serais restée jusqu'à la mort avec toi, comme une femme mortelle et soumise à la loi naturelle. Jusqu'à la fin de mes jours, je t'aurais porté secours. Puis le Souverain Roi aurait emporté mon âme séparée de son corps, et j'aurais été enveloppée d'un linceul et enterrée solennellement. Hélas ! tu viens de me replonger dans la peine, la douleur et les tourments jusqu'au jour du Jugement ! Tu t'es fait du mal à toi-même. Tu es de bien haut tombé tout en bas. Sache que le malheur t'attend et que tu ne connaîtras plus la prospérité ! Ta situation va décliner sans jamais se rétablir et ta terre, après ta mort, sera divisée, je le sais. Plus jamais elle ne sera dans la main d'un seul seigneur. Beaucoup de tes héritiers connaîtront la déchéance et ne conquerront plus de pays. Certains d'entre eux perdront leur terre, et la guerre les obligera à fuir leur pays, qu'ils ne retrouveront plus jamais[37]. Veille sur toi, mon ami, je t'en prie ! Je ne serai plus à tes côtés, et j'en ai le cœur brisé, mais je ne saurais plus attendre.

Elle prend à part trois des plus hauts barons et leur donne posément un avis plein de sagesse :

— Ecoute, Raymondin, fais mettre à mort ton fils Horrible ! Il faut que tu le fasses. Il est venu sur terre avec trois yeux. S'il vit, le pays de Poitou sera toujours en guerre, et on n'y trouvera plus ni pain ni vin, car Horrible dévasterait le pays et plus rien n'y pourrait pousser. Tous les sites que j'ai édifiés, il les ferait détruire ; et il provoquerait la ruine de ses frères et de tout son lignage. Fais-le vite mourir, je t'en prie ! Quant à Geoffroy qui, dans sa rage, a brûlé les moines et t'a plongé dans le deuil, sache que Dieu l'a voulu pour punir le monastère : ils enfreignaient dans leurs actions la justice et la raison. Dieu en a pris un châtiment exemplaire. C'est Dieu qui a voulu les voir brûlés, tous mis à mort et massacrés. Il y avait parmi eux bien des misérables, des moines perfides et pécheurs qui ne respectaient pas la règle de leur abbaye. Si ton fils est mort avec eux, ne te désole pas pour autant ! Tu sais qu'on a l'habitude de dire : « Pour un pécheur, il en meurt cent[38]. » Geoffroy en a brûlé cent, c'est bien le nombre, sans compter l'abbé, qui de tous était le maître et qui peut bien être la cause du malheur. Si Geoffroy a tout détruit, il reconstruira tout pareillement : il fera bâtir un plus beau monastère que celui qu'il a abattu, et il restaurera l'abbaye. Il y installera de nombreux moines, bien plus, certes, qu'il n'y en eut jamais, de saintes gens qui prieront pour le lignage qui a reconstruit l'église. Le site sera bien plus beau qu'auparavant, et Geoffroy

37. Coudrette fait allusion à Léon VI de Lusignan, dernier roi de Petite Arménie, dont il évoque explicitement la mort à la fin du roman.

38. Cf. Morawski, *Proverbes français*, 1700 : « Pour ung pecheur en perist cent. »

fera beaucoup de bien en vieillissant. Mais je veux te
dire encore une chose, mon époux, avant de partir,
afin que même ceux qui naîtront dans cent ans gardent en mémoire cette aventure. On me verra, ils l'en-
tendront bien dire, voler autour du château de Lusignan, trois jours avant que le château ne change de
maître. On ne peut me reconnaître dans les airs, mais
je me montrerai aussi sur la terre ferme, du moins à la
fontaine. Il en sera ainsi, sache-le, Raymondin, aussi
longtemps que le château durera, car je l'ai baptisé de
mon nom et l'ai construit tel qu'il est : je peux bien
l'appeler mon filleul. Je veux le dire devant tous : on
m'appelle Mélusine, je l'ai donc nommé Lusignan. J'y
viendrai dès qu'il devra changer de seigneur, trois
jours avant, je le répète : je m'y montrerai sans faute.
Je perds joie et plaisir à l'idée de devoir le laisser, mais
il ne peut en être autrement. Raymondin, au
commencement de nos amours, nous n'avons trouvé
que plaisir, joie, délices et tendresse, comme tous les
amants. Hélas ! c'est le contraire maintenant : nos
délices ne sont plus que chagrin et tristesse notre joie,
notre force n'est plus que faiblesse, notre plaisir est
devenu tourment, notre bonne fortune malchance,
notre bonheur misère, nos certitudes font place au
doute, et notre noble liberté s'est transformée en ser-
vitude. Tout cela par Fortune la perverse, qui élève
l'un et renverse l'autre[39]. Elle le renverse ? Dieu, j'ai
bien tort ! C'est par ta seule faute, Raymondin, et
pour avoir trop parlé, que tu vas perdre celle que tu
aimes. Mais je ne peux plus rester, mon amour, je dois
partir. Que Dieu te pardonne tous les crimes que tu as
commis envers moi, car par ta faute, je connaîtrai le
tourment jusqu'au jour du Jugement. J'étais grâce à

39. Dans la littérature et l'iconographie médiévales, Fortune est
traditionnellement représentée comme une femme aveugle qui fait
tourner une roue : assis sur cette roue, les hommes sont ainsi pré-
cipités du haut vers le bas ou hissés du bas vers le haut, selon les
caprices du sort. Raymondin attribue tous ses malheurs à Fortune,
qui joue ici le rôle du *Fatum* antique : voir H.R. Patch, *The Goddess
Fortuna in Medieval Literature*, Cambridge (Mass.), 1927.

toi sortie de la tristesse pour entrer dans la joie. Hélas ! malheureuse, me voici rejetée dans la douleur à laquelle j'avais échappé !

Mélusine mène un tel deuil qu'à entendre ses plaintes et ses soupirs, toute créature humaine se mettrait à pleurer. Raymondin se tord les mains, il souffre tant qu'il est près de mourir ; la souffrance et le chagrin l'empêchent de prononcer un seul mot. Il s'approche d'elle, la prend dans ses bras, lui couvre de baisers les yeux et le visage. Les deux amants endurent un tourment si cruel, une douleur si poignante qu'ils tombent tous deux à terre. Ils demeurent longuement inanimés sans le moindre souffle, et les barons les croient déjà morts, devant ce long évanouissement. Et quand ils reviennent à eux et retrouvent leur souffle, ils se répandent en soupirs, en gémissements, en pleurs et en plaintes ; ils se tordent les poings. Devant ce deuil indescriptible, tous les assistants pleurent. Mélusine, accablée, se relève péniblement. Raymondin la supplie à genoux de lui pardonner, dans sa bonté, le crime que le malheur lui a fait commettre. Mais la dame répond :

— C'est impossible, le Roi du Ciel n'y consent pas. Mais je t'en supplie, mon amour, souviens-toi de ton amante ! Oublie Fromont, et veille sur ton fils Raymond ! Veille sur lui, tu feras bien : il sera comte de Forez, peu de temps après mon départ. Veille bien aussi sur Thierry : il est encore à la mamelle, mais il se distinguera plus tard. Il gouvernera toute la terre qui s'étend de Parthenay à La Rochelle, et sera un bon chevalier ; et tous ses descendants seront aussi de valeureux chevaliers, preux et hardis, pleins de courage, et leur lignage vivra longtemps. Mon amour, sache que Thierry sera preux et hardi ! Mon doux amour, prie pour moi, car moi, je penserai à toi tout le reste de tes jours : je t'apporterai aide et réconfort dans toutes tes épreuves. Accepte l'adversité : plus jamais tu ne pourras voir Mélusine sous sa forme de femme, Mélusine ta douce amante, qui a été si longtemps à tes côtés !

Alors elle saute sur la fenêtre, pieds joints, regardant au-dehors les vergers en fleurs. Mais elle ne veut pas partir sans faire ses adieux aux barons (dont je vais vous reparler), aux dames et aux demoiselles, aux écuyers et aux suivantes. A tous elle dit adieu, et tous pleurent, apitoyés. Puis elle a dit :

— Adieu, Raymondin, je t'ai aimé d'amour parfait ; plus jamais je ne te verrai. Adieu mon cœur et mon amour, adieu toute ma joie, adieu tous mes plaisirs en ce monde, adieu mon gracieux amant, mon bien le plus précieux, adieu mon tendre aimé, adieu douce créature, adieu mon amour et ma joie, adieu tout ce que j'aimais au monde, adieu le meilleur, le plus beau, adieu noble chevalier, le meilleur, le plus doux, adieu mon gracieux époux, adieu mon doux amour, mon mari, adieu, adieu, mon doux seigneur ! Adieu à la joie, à la liesse, à la vie pleine de douceur, adieu au bonheur, à la tendresse, adieu à tous ! Adieu Lusignan, mon beau château que j'ai bâti ! Adieu à tout ce qui charme la vie d'une dame : la musique, les fêtes, les louanges et les honneurs ! Adieu cher ami de mon cœur : que Dieu t'aide et te protège !

Sur ces mots, elle saute dans le vide. Devant tous les barons, elle quitte la fenêtre, après ces paroles, et s'envole aussitôt. A l'ébahissement général, elle s'est transformée en une immense serpente, et la fée devenue serpente a la queue burelée d'argent et d'azur. Tandis que Raymond se désespère, elle fait trois fois le tour de la forteresse, poussant à chaque tour un cri prodigieux, un cri étrange, douloureux et pitoyable. Je n'écris que la vérité, je ne voudrais certes pas mentir ! Puis elle s'en va à vive allure, emportée par le vent, s'envole dans le ciel. Elle disparaît. Raymondin parle enfin, il s'écrie :

— Hélas ! que faire ? Plus jamais je ne connaîtrai la joie !

Il se tourmente et se désole, s'arrache les cheveux, maudit l'heure de sa naissance, fou de douleur. Il s'écrie devant les barons :

— Adieu ma dame à la belle chevelure blonde, adieu tout mon bonheur, mon bien, ma certitude ! Adieu ma douce amante, adieu ma joie et ma richesse, adieu tous mes délices, adieu tendresse, adieu plaisir ! Adieu précieuse dame, adieu la belle qui m'est si chère, adieu ma femme, mon épouse, adieu ma dame gracieuse, très douce fleur, adieu ma dame de valeur, adieu ma douce gorge, ma rose, ma violette, adieu arbre et rameau d'amour ! Adieu, ma noble dame ! Adieu ma gloire, adieu ma joie, adieu la belle que j'aimais tant ! Ils sont passés tous mes beaux jours : je ne vous verrai plus jamais !

Raymondin pleure, désespéré, la perte de sa femme, qui s'envole dans les airs, à sa grande douleur.

— Hélas ! que faire ? Nul homme n'a jamais connu pareille douleur, et pourtant nul ne doit me plaindre. Si je souffre tant, c'est bien fait, car c'est ma faute : j'ai fait mon propre malheur, j'ai creusé la fosse dans laquelle je suis tombé. Me voici bien misérable, me voici le plus malheureux de tous ceux qui ont connu le malheur !

Mais autour de lui tous s'empressent, le réconfortent doucement et l'exhortent à se reprendre et à endurer humblement son deuil. Ils lui citent de nobles exemples pour atténuer sa douleur. Et un sage baron lui dit :

— Il faut exécuter les ordres de Mélusine à propos de votre fils Horrible : elle nous a conseillé de le faire mourir pour éviter la perte du pays.

— Seigneurs, répond Raymondin, n'attendez pas, je vous en prie, pour suivre ses directives ! Qu'il meure ! peu m'importe comment : agissez à votre gré !

Raymondin ne reste pas plus longtemps. Accablé par le deuil et le malheur qui se sont abattus sur lui, il s'éloigne rapidement dans une chambre retirée, où il s'enferme, pour reprendre ses lamentations dans la solitude. Mais laissons-le pour revenir aux barons du pays, pleins de sagesse et de raison. Tous s'accordent à s'emparer d'Horrible : ils l'enferment dans une cave. Ils y font entasser du foin mouillé auquel ils mettent le feu. Aussitôt, la cave se remplit de fumée et Horrible

perd le souffle, étouffé par la fumée. Ils placent le
corps sur une bière et lui font de nobles obsèques,
selon les directives de Mélusine. Ils l'enterrent dans
une église et recommandent son âme à Dieu, puis
s'éloignent sans plus tarder. Mais revenons maintenant à Raymondin, dont la douleur était immense. Il
poussait des gémissements pitoyables, on ne saurait
décrire son deuil, ses larmes et ses soupirs. Il répétait :

— Mon doux amour, je t'ai trompée, je t'ai trahie,
et sur le conseil d'un misérable ! C'est mon cousin qui
m'a poussé à ce geste[40]. C'est par sa faute que je suis
perfide et parjure, chargé de péchés et de crimes ! La
malchance me poursuit depuis le début de ma vie. J'ai
tué mon seigneur dans la forêt : c'est le plus grand
malheur de tous. Puis j'ai violé le serment que j'avais
prêté à la belle que j'aimais tant, à la belle qui me
comblait de bienfaits et d'honneurs, qui me proté-
geait, qui m'avait donné le bonheur, qui, après Dieu,
m'avait donné la vie. Fortune perfide, c'est par envie
que tu m'as mené à ce cruel rivage, où j'ai perdu tout
mon bonheur, où j'ai perdu tous mes plaisirs, où j'ai
perdu toute ma richesse, où j'ai perdu la joie complète
que me donnait la belle Mélusine : je l'aimais autant
que moi-même, et elle, sur ma foi, m'aimait d'un parfait amour. Elle m'a bien montré son amour pendant
toute notre vie commune : je frémis de pitié à ce souvenir, et elle mérite bien ma pitié pour tout le reste de
ma vie. Comment se fait-il que je ne meure pas ? J'ai-
merais bien mieux finir mes jours qu'endurer pareille
peine ! Jusqu'à la fin de mes jours, ma peine n'aura
pas de fin ; mon malheur sera infini jusqu'à la fin de
ma vie ! Je ne peux plus désormais m'élever en ce
monde ni produire chose qui ne soit condamnée à
périr : Mélusine, Dieu la protège ! me l'a bien dit à
son départ. Je n'ai plus envie que de mourir le plus tôt
possible. Cette pensée me déchire le cœur et le fait
fondre dans les larmes comme de la cire !

---

40. Le comte de Forez est partout ailleurs présenté comme le
frère du héros.

C'est ainsi que Raymond se désolait et fondait en larmes pour Mélusine la fée. Mais celle-ci vint depuis bien des soirs, en secret et sans un mot, dans la chambre où l'on prenait soin de Thierry. Souvent elle prenait dans ses bras ses fils Thierry et Raymonnet, pour les chauffer au feu[41] et les allaiter avant de les recoucher. Les nourrices la voyaient bien parfois, mais elles n'osaient se lever ni dire un mot. Elles en parlèrent cependant à leur seigneur Raymondin qui, plein de joie, se dit en lui-même qu'il allait retrouver Mélusine. Mais il avait bien tort, car tous les trésors du monde ne pouvaient la lui faire retrouver. Thierry se développait à une allure qui émerveillait tout le monde. Il se développait plus en un mois qu'un autre enfant en trois mois : c'est que sa mère prenait soin de lui et le nourrissait souvent de son lait dans la chambre de son père. Rien ne vaut le lait d'une mère, comme je l'ai déjà dit.

Geoffroy et le secret des origines

Mais je laisse là Raymondin et ses deux fils, qui sont si beaux, Dieu les protège ! Je reviens à Geoffroy la Grand Dent. Dieu sait que je ne mentirai pas ! D'ailleurs, je ne l'ai jamais fait : c'est une honte que d'être pris à mentir. Geoffroy, sans retard, fait voile sur la mer : ses marins font si bien qu'il débarque vite en Northumberland, où le géant mène sa guerre. Et dès qu'il a mis pied à terre, les plus hauts barons de la contrée viennent tous à lui sans tarder, suivis du peuple entier, les maigres et les gros, les grands et les petits. Un noble baron lui révèle tous les méfaits de ce géant farouche et prodigieux, horrible, fort et orgueil-

41. On retrouve ici le motif du baptême par le feu, illustré, dans la mythologie grecque, par la légende de Déméter et de Démophon : la déesse place l'enfant dans les flammes pour lui assurer l'immortalité. Voir L. Harf, « Le baptême par le feu », *Au carrefour des routes d'Europe : la chanson de geste*, *Senefiance* 20-21, 1987, pp. 629-641.

leux : en un seul jour, il a tué cent chevaliers de la contrée, dans sa force et sa démesure. Quant aux hommes du peuple, il en a tué facilement mille : il est si fort qu'un mortel ne pourrait pas rivaliser avec lui. Geoffroy déclare :

— Mais c'est un diable, un épouvantable démon ! Si je le trouve, il ne périra que de ma main ! Montrez-moi où il se cache ! Je ne suis venu que pour trouver ce traître qui cause votre perte. Sachez qu'avant la fin de la semaine, il aura des ennuis ! Donnez-moi un guide pour me mener jusqu'à son repaire, et n'ayez crainte : je ne reviendrai pas ici avant d'en avoir triomphé !

Sitôt dit, sitôt fait : on lui donne un guide qui connaît toute la contrée, les lieux que fréquente le géant ainsi que sa maison. On lui remet le guide sur l'heure, on le recommande à Dieu ; Geoffroy se rafraîchit et s'en va. Il chemine, avec son guide, jusqu'à ce qu'ils aperçoivent une haute montagne. Ils éperonnent alors leurs chevaux pour s'en approcher. Et quand ils sont près de la montagne, le guide voit, sous un rocher, le géant assis à l'ombre d'un arbre, près d'un bloc de marbre : il a si peur qu'il tremble, pâlit, se couvre de sueur. Geoffroy sourit à sa vue et lui dit qu'il n'a aucune raison d'avoir peur.

— Dieu tout-puissant ! s'écrie le guide, taisez-vous donc ! Je veux partir ! Je n'approcherais pas de cette montagne et je ne resterais pas avec vous pour tout l'or du monde ! Comment pourrais-je rester ici, sur ma foi, quand je vois Grimaut le terrible géant ? Geoffroy, trêve de plaisanterie : je vous recommande à Dieu, mon ami !

Geoffroy rit de cette frayeur et le supplie, pour l'amour de lui, de rester un tout petit peu pour regarder la bataille : il aura vite fait de savoir qui a remporté la victoire. Mais le guide répond, intraitable :

— Peu m'importe votre bataille ! Je ne resterai pas avec vous. Je vous ai fidèlement guidé. Si vous êtes vainqueur, je ne veux rien de vos gains, je veux seulement m'en aller !

Geoffroy rit de nouveau et lui dit :

— Guide, ne t'en va pas ! Tu n'as qu'à rester ici jusqu'à ce que tu aies vu l'issue du combat et son vainqueur. Alors tu rejoindras mes hommes aussitôt, pour tout leur raconter et leur dire mon sort.

— J'obéirai à vos ordres, monseigneur, répond le guide. Mais faites vite, car je ne suis pas tranquille : j'ai si peur, je vous assure, de ce maudit diable de Grimaut, que je suis près de m'évanouir. Si vous le connaissiez bien, vous ne vous en prendriez pas à lui !

— N'aie aucune crainte ! répond Geoffroy, j'aurai vite fait de le mettre à mort : il ne tiendra pas contre moi.

Mais Geoffroy ne sait pas ce qui l'attend, car Grimaut est terriblement fort. Que Dieu veille sur Geoffroy : il aura beaucoup à faire, plus qu'aucun chevalier qui ait jamais porté l'épée. Grimaut a déjà tué plus de mille hommes de la contrée, et les habitants sont dans un deuil indescriptible. Ce géant accomplit des prodiges.

Geoffroy monte à cheval, s'engage sur la montagne et quitte la vallée, la fontaine près de laquelle il se tenait. Il quitte le pré, la plaine, le guide qui reste sur place. Que Dieu le préserve des coups du redoutable Grimaut ! Il escalade la montagne ; Grimaut le voit et s'émerveille qu'un homme seul entreprenne de venir l'attaquer : il se dit que cet homme doit bien se haïr. Mais il réfléchit et se dit :

— Ce chevalier vient à moi, je pense, pour traiter de paix. Il monte le sentier à toute allure. Il faut que j'aille lui parler : tel monte qui se retrouve en bas[42].

Il saisit un grand levier : on n'aurait pas cru qu'une créature humaine pût se servir de ce levier ; mais lui le maniait avec plus de facilité que n'en met un garçonnet de six ou sept ans à jouer avec un petit bâton. Afin d'apprendre tous les détails, sachez que ce bâton lui aurait convenu pour jouer aux quilles. Il ne me reste plus qu'à vous dire que c'était un bâton de néflier, qui ne se pliait pas facilement ; or, au jeu de

42. Cf. Morawski, 398 : « Cil qui haut monte de haut chiet. »

quilles, il faut que le bâton se plie[43]. Le bâton à la
main, il regarde Geoffroy venir vers lui et lui crie :

— Alors ? Tu viens me défier ? Qui es-tu ? que
cherches-tu ? Tu es sûr de mourir !

— Bandit, rétorque aussitôt Geoffroy, je te mets au
défi de me tuer ! Moi seul triompherai de toi et te
couperai la tête ! Défends-toi, car tu vas mourir et tu
n'y pourras rien changer !

Grimaut éclate de rire à ces mots :

— Epargnez ma vie, cher seigneur, je vous en supplie ! Cher seigneur, épargnez-moi, acceptez ma rançon !

— Misérable, lui dit Geoffroy, tu te moques de
moi ? Tu vas rester ici et mourir ! Jamais je n'accep-
terai de rançon de toi : je te fendrai en deux jusqu'aux
dents !

Le terrain était vaste et dégagé. Geoffroy serre son
bouclier contre lui, empoigne violemment sa lance,
éperonne son cheval, bien décidé à montrer sa
prouesse et conquérir la gloire. De tout son élan, il le
frappe en pleine poitrine, sous le sein, et lui inflige un
horion tel que sans son haubert aux mailles serrées de
bon acier, Grimaut était en piteuse situation. Le géant
tombe cependant sur le sol dur de la montagne, les
jambes en l'air, et, furieux, a vite fait de se relever,
durement affecté. Geoffroy, à cette vue, met pied à
terre pour l'empêcher de lui tuer son cheval sous lui.
Le géant Grimaut se relève sans tarder, regarde
Geoffroy, le voit bien plus petit que lui et s'émerveille
de trouver pareille vaillance dans un si petit corps. Il
lui demande :

— Qui es-tu ? Tu m'as donné un horion comme je
n'en ai jamais reçu et tu m'as fait tomber à la renverse ! Je ne sais ni où tu habites, ni d'où tu viens, ni

---

43. Voir J.-M. Mehl, *Les Jeux au royaume de France du XIIIᵉ au
début du XVIᵉ siècle*, Paris, 1990, figure 9 et p. 55 : « Au lieu d'une
boule de bois, les joueurs renversaient les quilles à l'aide d'un bâton
lancé de loin et avec force. [...] Un bâton de plus d'un mètre, avec
lequel il fallait faire tomber des quilles assez lourdes, ne pouvait être
qu'épais. »

qui tu es. Mais je suis bien digne de blâme, si je ne me venge pas de toi, et je compte bien le faire ! Mais dis-moi d'abord qui tu es, comme je te le demande, ou tu n'es pas un bon chevalier !

— Je ne cherche pas à cacher mon nom ! répond Geoffroy à son adversaire : on m'appelle Geoffroy la Grand Dent, et on me connaît dans bien des pays. Je suis Geoffroy, fils de Mélusine, la noble dame de Lusignan. Oui, je viens de Lusignan, et tu vas t'en apercevoir !

— Je te connais bien, lui dit le géant : j'ai beaucoup entendu parler de toi et de ta prouesse. Tu as tué mon cousin Guédon en Guérandais. Es-tu venu ici chercher ta récompense ? C'est la guerre que tu recevras : je vais me venger de toi !

— Tel croit dire vrai qui ment, dit Geoffroy ; tel croit venger sa honte qui l'accroît[44] : on l'a déjà vu bien souvent !

Devant ces moqueries, le géant ne peut se contenir. Il brandit son levier de la main gauche ; il croyait bien en atteindre Geoffroy, mais celui-ci fait un bond de côté et esquive le coup : le géant ne l'a pas touché. Le levier s'abat sur le sol et creuse un grand trou dans la roche : la force du coup est incroyable et la roche se fend sur tout un pied. Alors Geoffroy dégaine son épée et frappe le géant au-dessus du coude : le coup est si prodigieux qu'il brise bien des mailles du haubert. C'en est presque fait du géant, son sang vermeil coule par terre, teignant l'herbe en rouge. Mais le géant vient sur Geoffroy et dresse à nouveau son gros levier, dont il ne sent pas le poids. Il veut l'abattre sur la tête de Geoffroy, mais celui-ci s'écarte : le coup tombe de toute sa force, s'enfonçant de trois pieds dans la terre, mais n'atteint qu'un rocher. Les choses vont mal pour le géant : il a le bras fatigué de ce coup, et son levier se fend dans le milieu et se coupe en deux ; Geoffroy en rend grâces à Dieu. De toutes ses

---

44. Cf. Morawski 2351 : « Teus cuide venchier sa honte qui la croist. »

forces, il le frappe de son épée, tout en haut, vers le
cerveau. Sous le coup, le farouche géant chancelle,
bien qu'il ne soit pas blessé. Dans sa rage, il lève le
poing et en donne un coup sur la tête de Geoffroy, qui
reste tout étourdi. Le géant avait frappé si fort que son
poing se met à enfler. Geoffroy, le bon combattant,
multiplie les coups d'épée : d'un coup à l'épaule, il
défait les mailles du haubert et enfonce son épée de
toute une paume. Le sang du géant lui coule sur le
ventre, il en est rouge jusqu'aux talons. Grimaut
maudit ses dieux, menace de les renier s'ils ne lui
viennent en aide : il invoque Margot, Apollin, Tervagant et Juppra[45], mais c'est en vain ; Geoffroy finira
par triompher, pas tout de suite cependant, après
encore bien des épreuves.

Le géant, effrayé, voit s'avancer Geoffroy : il saute
sur lui, l'enserre dans ses bras, l'écrase et l'étrangle
avec fureur. Mais Geoffroy lui agrippe les flancs. Tous
deux luttent à grand-peine, près de perdre le souffle,
et à force de se bourrer de coups, ils sont bien mal en
point. Ils luttent donc, serrés l'un contre l'autre, en se
bourrant de horions jusqu'à ce qu'ils finissent par se
lâcher. Mais ils poursuivent le combat : Geoffroy
atteint le géant à la hanche, du couteau qu'il tenait
brandi ; il perce le haubert d'Alger et enfonce le fer,
faisant jaillir le sang. Le géant saute en arrière et,
reculant, escalade la montagne. Geoffroy le presse,
l'autre s'enfuit pour prendre congé, et a vite fait de
s'éloigner et de disparaître dans une grotte, car il a
très peur de Geoffroy. Geoffroy, à cette vue, est désolé
d'avoir ainsi perdu le géant. Il revient vers son cheval,
monte en selle, retrouve son guide et lui raconte en
détail toute l'aventure : comment ils s'étaient battus et
comment le géant s'était enfui et avait disparu dans

45. Dans les chansons de geste, Apollin et Tervagant sont, avec
Mahomet, les trois principaux dieux des Sarrasins, auxquels Jupiter
est fréquemment associé : cf. la *Chanson de Roland*, vv. 2711-2712
et 1392. Margot est également un dieu sarrasin (A. Moisan, *Réper-
toire des noms propres de personnes et de lieux cités dans les chansons de
geste*, Genève, 1986, tome I, p. 686).

une fente à même la montagne. Le guide s'approche de lui, émerveillé du courage de Geoffroy : il voit son heaume en pièces, son haubert en lambeaux, les mailles rompues un peu partout. Il se dit :

— Que Dieu m'aide ! j'ai là la preuve du prodigieux courage de Geoffroy !

Mais voici accourir une foule de gens du pays, de nobles personnages. Dès qu'ils apprennent l'aventure, ils veulent savoir si le géant a demandé son nom à Geoffroy. Et il leur répond qu'il lui a demandé son nom, sa réputation et son origine, et que lui-même lui a dit la vérité et répondu à ses questions. L'un des barons lui dit alors :

— Seigneur, écoutez-moi bien ! Pour tout l'or du monde, le géant félon (Dieu le maudisse !), n'accepterait pas de revenir vers vous. Il sait bien qu'il ne sortirait pas vivant de vos mains et que vous le mettriez à mort : telle est sa destinée.

Geoffroy jure, sur la Trinité, qu'il ne quittera pas le pays avant de l'avoir retrouvé.

— Seigneur, dit l'un, n'ayez crainte ! La montagne dans laquelle Grimaut s'est enfoncé est le domaine des fées. Le roi Hélinas d'Albanie y a été enfermé par ses trois filles, sans jamais pouvoir en sortir, pour avoir surpris leur mère Présine pendant ses couches. Présine le lui avait défendu, et il vint pourtant la surprendre. Il lui avait promis de ne jamais venir vers elle pendant la durée de ses couches, sous peine d'un grand malheur. Présine, la gracieuse dame, accoucha de trois filles, plus belles l'une que l'autre. Hélinas avait prêté le serment le plus solennel de respecter la promesse qu'il avait faite à Présine. Mais il viola son serment et la perdit par sa faute, comme je vais vous le conter. Ses trois filles l'enfermèrent dans la prison de cette haute montagne pour leur avoir fait perdre leur mère. On ne sait où elles allèrent depuis, mais jamais Hélinas n'est sorti de la montagne, il y est resté à jamais enfermé. Or dans cette montagne, depuis, il y a un géant, qui garde la grotte merveilleuse et empêche quiconque d'en approcher. Jusqu'à votre arrivée, nul ne l'avait rencontré sans être mis à mort, tant sa force est prodigieuse ; et il a détruit le pays. Le roi auquel nous obéissons n'a pas pu nous en défendre : il nous a fallu nous livrer à Grimaut. Depuis qu'Hélinas, notre roi, a subi ce sort, Grimaut est le cinquième ou le sixième des géants qui se sont succédé ici hiver comme été, dévastant toute notre terre et faisant la guerre à tous les habitants, jusqu'à votre arrivée, bénie soit-elle !

Geoffroy se réjouit d'entendre ces bonnes nouvelles et prête devant toute l'assemblée le serment solennel d'abattre le géant ou d'être lui-même vaincu et tué. La nuit s'écoule, le jour revient. Devant plus de vingt barons, Geoffroy monte sur son destrier, sans peur du géant ; il prend congé, escalade la montagne avec peine. A force d'éperonner son cheval, il parvient au rocher et en fait le tour jusqu'à ce qu'il découvre le trou dans lequel était entré Grimaut. Vite, il met pied à terre, regarde à l'intérieur, mais il n'y voit pas plus qu'au fond d'un puits.

— Je ne comprends pas, se dit Geoffroy, par où ce géant est passé, grand et gros comme il est. Je sais bien qu'il est entré de ce côté. Par là ? Mais non, c'est par ici ! Voici précisément l'endroit où il est entré, j'en suis sûr. Voici le trou, sans aucun doute, par où le cruel géant s'est engouffré. C'est bien cela, assurément : il n'y a pas d'herbe verte autour, elle est tout écrasée. Mais comment s'y est-il glissé ? Il est plus gros que moi ! Que Jésus-Christ me garde ! Quoi qu'il m'en coûte, je ne pourrais m'empêcher d'entrer là-dedans à sa recherche : il a disparu sous la terre, mais j'irai à sa suite. S'il y est, je le trouverai !

Il laisse glisser sa lance en avant, le fer le premier, et la suit de près, s'engouffrant dans la fente, les pieds en avant[46]. Sans peur, il descend dans la montagne, serrant la bouche et les dents. La lance dévale la pente jusqu'au fond. Parvenu lui-même au fond,

---

46. Sur le schéma initiatique de cette aventure et le *regressus ad uterum* que constitue cet enfoncement dans les entrailles de la terre, voir S. Roblin, « Le sanglier et la serpente », pp. 270-277.

il saisit sa lance, dont le bois solide ne s'est pas brisé : un moins bon bois se serait brisé, mais pas celui-là. Il empoigne sa lance par le fer et marche sans plus tarder. Bientôt il voit devant lui une grande lumière. Il marche toujours, la lance en avant, tâtonnant jusqu'à ce qu'il arrive à une chambre magnifique, aussi belle que si on venait de l'achever, ouvragée de tous les côtés. Elle était creusée dans la roche et il n'y avait qu'un seul accès. La beauté en était merveilleuse. Geoffroy admire les richesses qu'il y voit : la chambre était couverte d'or battu et de gemmes, décorée avec un art admirable. Au milieu s'élevait une riche tombe, dressée sur six piliers d'or massif et ornée des pierres précieuses dont la montagne regorgeait, les plus précieuses qui soient, porteuses de pouvoirs médicinaux. Au-dessus, on voyait une belle statue de calcédoine représentant un roi, avec ses armes : le gisant reposait sur la tombe, dans cette chambre lumineuse. A ses pieds, la statue d'albâtre d'une noble dame se dressait en pied et le regardait : d'ici jusqu'à Constantinople, on n'aurait pu en trouver de si belle. Geoffroy s'émerveille à sa vue. La dame tenait dans ses deux mains une grande et magnifique tablette, qui semblait comme neuve. Il y était écrit :

— Ci-gît le noble roi Hélinas, qui me perdit par sa faute et pour son malheur. Ce noble roi était mon époux. Il m'avait promis, avant de m'épouser, que jamais de toute sa vie, il ne chercherait, pendant mes couches, à s'enquérir de moi, ni à me voir ni à venir près de moi avant mes relevailles. Un jour, je mis au monde trois filles gracieuses et savantes. Mais Hélinas réussit à me voir, allongée dans mon lit. Aussitôt je disparus à sa vue, je l'abandonnai et m'enfuis, il ne sut jamais où, avec mes trois filles. Elles grandirent et embellirent ; je les nourris de mon lait. Quand elles eurent quinze ans, je leur racontai comment, par la faute de leur père, j'avais gagné Avalon, le pays des fées. La plus jeune, nommée Mélusine, se mit en colère, appela ses sœurs, leur rappela toute l'histoire et déclara qu'elle voulait me

venger de leur père[47]. Les trois sœurs s'accordèrent à
jeter un sort contre leur père pour me venger du grand
crime que, dans sa folie, il avait commis contre moi.
Toutes trois décidèrent d'enfermer en ces lieux leur
père Hélinas, qui avait trahi la foi qu'il m'avait jurée.
Quand il mourut, je l'enterrai sous cette tombe, que je
fis ensuite édifier, avec sa statue et mon propre portrait
sculpté au-dessus, afin de rappeler notre histoire à celui
qui lirait la tablette. Car jamais nulle homme ne péné-
trera en ce lieu, s'il n'est issu de la lignée féerique
d'Avalon, de mes trois filles, dont vous allez maintenant
apprendre l'histoire. Dès que j'eus construit le tombeau, je le fis garder par les géants, afin que nul ne
pénétrât ici, s'il n'était issu de notre lignage. Puis je
décidai du sort de mes filles, gracieuses et savantes.
Mélusine, la plus jeune, qui était sage et avisée, reçut
cette destinée, de par l'ordre de féerie : tant que ce
monde existerait, elle serait serpente le samedi ; et celui
qui voudrait l'épouser ne devrait jamais l'approcher ce
jour-là et devrait se garder, où qu'il fût, de la voir sous
cette forme et de révéler ce secret à quiconque. Et s'il
suivait cette règle, Mélusine vivrait toute sa vie comme
une femme mortelle et soumise à la nature, puis mour-
rait selon la nature, tout comme les autres mortels, qui
s'éteignent quand se termine le cours naturel de leurs
jours. A Mélior, la cadette, la plus belle des créatures de
Dieu, je fixai ce destin par féerie : il est juste que vous le
sachiez. Dans une puissante forteresse située en Grande
Arménie[48], elle passerait sa vie, je l'ordonnais, à garder
un épervier : il faudrait veiller l'oiseau durant trois nuits,
pour pouvoir lui demander un don et l'obtenir. Le
vainqueur pourrait demander le don de son choix et
obtenir satisfaction, à condition de ne pas demander ni
désirer Mélior elle-même. Seuls pourraient veiller

47. Dans le roman de Jean d'Arras, Mélusine est l'aînée des trois
sœurs et Palestine la plus jeune.
48. La Grande Arménie correspond à l'Arménie primitive, au
nord de l'Anatolie. Chassés par les Turcs en 1064, les Arméniens
fondent le royaume de Petite Arménie en Cilicie. Léon VI de Lusignan fut le dernier roi de Petite Arménie, jusqu'en 1375.

l'épervier des chevaliers de haute naissance. Et celui qui dormirait durant les trois nuits ou sommeillerait si peu que ce fût, demeurerait à tout jamais avec Mélior, emprisonné dans le palais. Voilà pour Mélior. Quant à Palestine, leur sœur aînée, je vais vous dire sa destinée. Dans la haute montagne du Canigou, où les hommes n'osent s'aventurer à l'idée des épreuves qui les y attendent, elle garderait le trésor de son père ; elle y demeurerait toute sa vie, jusqu'à la venue d'un homme de notre lignage qui, par force, parviendrait au sommet de la montagne et en arracherait le trésor. Et ce trésor lui permettrait de conquérir la Terre Promise. La montagne dont je parle se dresse en Aragon, chacun le sait. Je suis Présine, la mère de ces trois filles belles et savantes. C'est ainsi que je me suis vengée d'elles, pour avoir, dans leur orgueil, enfermé leur père Hélinas dans cette montagne en Avalon. Car j'aimais Hélinas ; malgré sa faute à mon égard, je l'aimais de tout mon cœur !

Voilà ce que disait le message. Et Geoffroy s'émerveille à cette lecture. Mais il ne sait pas encore vraiment qu'il est de ce lignage. Alors le fier et courageux héros cherche de tous côtés à retrouver Grimaut. Il quitte la chambre et va plus loin, franchissant cette enceinte, dans sa hâte de retrouver le géant. Il aperçoit devant lui un beau champ, ainsi qu'une tour carrée, grande, puissante et bien fortifiée. Voyant la porte ouverte à l'arrière ainsi que la barrière, il s'élance à l'intérieur, brandissant hardiment sa lance. Derrière une grande grille, il découvre de nombreux prisonniers, qui s'émerveillent de le voir ici. L'un d'eux lui dit de quitter vite ces lieux, pour ne pas être vu du géant, ou de se cacher dans un trou : sinon, le géant le mettrait à mort. Geoffroy sourit et, sa grande lance dressée, lui demande où il peut trouver le géant, car il veut le combattre. Un prisonnier répond :

— Vous allez bientôt le voir, mais si lui vous voit, je crois que vous le paierez cher : il est trop fort et aura vite fait de vous tuer !

— Mon ami, lui dit Geoffroy, ne craignez rien pour moi ! J'en viendrai bien tout seul à bout, tout comme je me suis lancé tout seul dans l'aventure !

A ce moment arrive le géant qui, à la vue de Geoffroy la Grand Dent, se sait condamné à mort. Il aurait bien pris la fuite, s'il l'avait pu. Apercevant une chambre, il s'élance à l'intérieur, fermant la porte derrière lui. Geoffroy, furieux, s'attaque à la porte à coups de boutoir, fait sortir le chambranle de ses gonds, et d'un grand coup de pied, fait voler la porte à l'intérieur de la chambre, malgré toutes les serrures. Le géant, qui était armé d'un marteau carré, en donne un grand coup à Geoffroy sur la tête, le laissant tout étourdi ; sans son heaume solide, Geoffroy était mort. Le héros chancelle et déclare :

— Voilà un beau coup, mais je vais te le rendre et te pourfendre de mon épée !

Il dégaine son épée solide et bien trempée et en attaque hardiment le géant d'estoc, de si belle manière qu'il la lui enfonce dans la poitrine jusqu'à la garde et le transperce de part en part. Le géant qui avait commis tant de crimes s'effondre à terre. Le marteau de fer avec lequel il a commis tous ses crimes ne lui sert plus à rien. Il pousse un cri terrible dont tout le château retentit et s'abat sur le sol : le coup d'épée de Geoffroy l'a étendu raide mort. Geoffroy essuie son épée, la remet au fourreau. Sans attendre, il vient aux prisonniers et leur demande avec bonté s'ils sont de Northumberland, quel est leur crime et pourquoi ils sont en prison. L'un d'eux lui explique que c'est à cause du tribut qu'ils devaient au géant et qu'ils n'avaient pas payé. Geoffroy leur dit :

— Réjouissez-vous, vous êtes effacés de son papier ! Je viens de le tuer, et il ne peut plus vous faire de tort. Je l'ai tué, c'est la vérité, j'ai acquitté le tribut à votre place !

Tous se réjouissent de cette nouvelle et supplient Geoffroy de les laisser sortir.

— Bien volontiers ! répond-il.

Il cherche partout les clefs et finit par les trouver. Il revient aux prisonniers, qui étaient bien plus de deux cents. Il ouvre la grille qui fermait leur prison et leur donne à tous congé. Vite ils sortent, tout heureux d'échapper à pareil tourment. Geoffroy les conduit à la chambre, où ils voient le géant raide mort : tous se signent, émerveillés qu'il ait eu le courage d'affronter une créature d'une taille aussi prodigieuse, ce monstre terriblement féroce et cruel. Et tous de se signer et de dire qu'on n'a jamais vu un homme comme Geoffroy.

— Ecoutez-moi, barons ! dit Geoffroy : je vous ai délivrés, vous ne devez plus rien au géant. Ce donjon regorge de trésors : je vous les livre et vous en fais don à tous, librement. Je vous donne tout l'or, tous les biens. Je ne veux rien, prenez tout ce qu'il y a ici ! Je vous recommande à Dieu : je ne veux plus rester ici, je veux m'en aller ailleurs courir l'aventure.

— Grand merci ! répondent les autres. Mais dites-nous, par courtoisie, nous vous en supplions, par où vous êtes venu jusqu'ici ! Jamais encore nul homme n'avait osé entrer ici, par peur du géant qui est maintenant vaincu et mort.

Alors Geoffroy leur raconte tout ce que vous venez d'entendre. Et quand il a terminé son récit, un homme lui dit :

— Quel prodige ! Nul n'est jamais sorti de ce rocher, hormis le géant mort et ses ancêtres, qui nous ont tourmentés et persécutés, grands et petits, et ont dévasté le pays. Depuis quatre cents ans, c'est la pure vérité, ils détruisent tout ce qu'ils trouvent. Mais notre épreuve est terminée, grâce à vous : vous avez mis fin à l'œuvre de féerie. Nous reviendrons avec vous et retrouverons vos hommes.

Les barons se préparent à partir. Ils placent le géant sur un chariot. Quand ils le dressent de toute sa hauteur, tous se signent devant lui : on n'avait jamais vu un homme de cette taille. On l'attache bien solidement pour le transporter par tout le pays ; puis tous montent à cheval et s'éloignent de la montagne. Et tous de s'émerveiller à la vue du monstre, d'en rester

ébahis et de bénir l'heure où Geoffroy est arrivé pour
les délivrer du géant. Les barons ramènent Geoffroy à
ses hommes, avec force cadeaux, et lui font l'honneur
de le choisir pour seigneur, car leur roi était mort.
Geoffroy devient donc seigneur du pays. Mais il refuse
d'y rester, car il veut retourner à Lusignan. Sans rien
accepter d'eux, il décide de s'en retourner sans tarder.
Geoffroy, l'homme qui ne connaît pas la peur, monte
en selle et fait ses adieux aux barons de Northumberland, leur confiant le pays : il a hâte de partir. Avec ses
hommes, il chevauche au grand galop jusqu'à la mer,
et s'embarque sans plus tarder dans une barge. Dans
son désir de voir son père et Mélusine, sa mère, il fait
force voile et navigue si bien qu'il approche de Guérande ; un vent favorable le pousse vite au port. Aussitôt il descend à terre. C'était le soir ; tout le monde
vient à sa rencontre : hommes et femmes, de tous
côtés, et même les petits enfants font fête à Geoffroy,
tout comme les grands barons. Son frère Raymond
vient le voir, pour la plus grande joie de Geoffroy : il
le salue tendrement, et Geoffroy le serre dans ses bras,
tout aise, lui couvrant le visage de baisers. Ils se reti-
rent dans une chambre pour s'entretenir. Geoffroy lui
rapporte ses aventures, et Raymond lui conte
comment il a perdu sa mère. Geoffroy frémit de
colère : il comprend qu'il a provoqué le courroux de
son père par son crime, quand il a fait périr tous les
moines dans les flammes. Alors il se rappelle la
tablette qu'il a lue, mot pour mot, dans la montagne
d'Avalon, sur la tombe magnifique du roi Hélinas. Il
comprend que Mélusine est la fille du roi qui y est
enterré et que le bon roi Hélinas était le père de Mélusine, sa mère. Il médite longuement, et quand il a
clairement conscience que Raymondin, son père, a été
poussé à trahir Mélusine par la faute de son frère, le
comte de Forez, il prête solennellement le serment de
bientôt le tuer.

Alors Geoffroy quitte Guérande, en compagnie de
son frère et de ses dix chevaliers, forts, aguerris et
agiles : à eux dix, ils en valent bien vingt. Ecoutez

maintenant ce qui arriva. Geoffroy a si bien chevauché et cheminé au grand galop par monts et par vaux qu'il est arrivé dans le comté de Forez : le comte s'y trouvait et se tenait dans son château. Geoffroy se dirige vers lui : le comte va avoir une mauvaise surprise ! Il entre dans la forteresse à vive allure, s'y introduit si vite que personne ne l'aperçoit. Poussé par la colère, il ne sonne mot, n'ouvre pas la bouche. Il met pied à terre, gravit les marches de la grande salle et trouve son oncle, le comte Fromont, au milieu de ses hommes, sa bonne noblesse pleine de sagesse et de bon sens. Comme un homme qui a perdu la raison, il dégaine l'épée en criant :

— Traître, tu y laisseras la vie ! C'est toi qui m'as fait perdre ma mère !

Le comte l'entend, son sang ne fait qu'un tour : il voit que sa mort est venue. Epouvanté, il tremble de peur devant Geoffroy, car il sait bien qu'il est responsable du chagrin de son neveu. Il s'enfuit, affolé : il n'a jamais eu aussi peur de sa vie. Il se précipite dans le donjon, dont il trouve la porte ouverte, et monte les marches deux par deux. Mais il n'est pas maître de son destin : Geoffroy monte à sa suite et le pourchasse de près, le poursuivant de toute sa force et de toute sa vitesse. Tous deux filent à vive allure. De tous les hommes du comte, pas un, si beau et gracieux soit-il, qui ne s'écarte de là et ne dévale les marches, ne cherchant qu'à se sauver et criant à Geoffroy d'épargner sa vie. Ils s'enfuient par toute l'enceinte, craignant fort d'être pris. Mais Geoffroy est aux trousses du comte et jure de lui infliger une mort honteuse. Le comte monte le plus vite qu'il peut jusqu'au sommet du donjon. Geoffroy jure que les liens du sang ne l'empêcheront pas de mettre son oncle à mort, pour lui avoir fait perdre sa mère. Le comte, tout tremblant de peur, a vite fait de voir qu'il ne peut pas aller plus loin. Il saute par une fenêtre, mais sur le toit le pied lui manque : il glisse du toit et, de toute la hauteur où il était, tombe tout en bas sur la roche. Voilà comment il fut châtié. Voilà comment mourut misérablement,

honteusement, le comte de Forez. Hélas ! sa folie en
fut la cause. Au milieu du deuil du peuple, Geoffroy
fait célébrer les obsèques puis proclamer une annonce
par son de trompe et par voix d'homme : les barons
du comte doivent venir auprès de lui pour rendre
hommage à son frère Raymond pour le pays et la
terre. Et chacun s'empresse d'obéir à ses ordres.
Geoffroy ne veut pas rester plus longtemps, il veut
regagner Lusignan et quitte rapidement le Forez pour
faire route vers Lusignan, où son père souffre et se
désole : il vient d'apprendre la mort de son frère, qui
le remplit de chagrin.

— J'ai bien lieu de pleurer, dit Raymondin. J'ai
perdu mon épouse. Maintenant je vois mon lignage
disparaître par ma faute et par mon péché. Puisse
Jésus-Christ sauver mon âme ! Je veux me retirer de ce
monde qui ne peut plus rien m'apporter. J'irai me
confesser de mes péchés et les avouer d'un cœur sincère au saint apôtre de Rome, qui porte le nom de
Léon. Puis (que Dieu me protège !), j'irai m'établir
dans un ermitage, loin de tout, dans un pays étranger
où personne ne me connaîtra. C'est là que je finirai
ma vie dans les prières et la dévotion, pour gagner
mon salut.

Raymondin était ainsi dans les pleurs, les plaintes et
les lamentations, quand Geoffroy met pied à terre,
sans attendre, en s'aidant du montoir. Sans plus
tarder, il vient au château, où il trouve son père ; mais
sa mère n'y était pas. Alors il demande pardon à son
père, qui a le cœur lourd de chagrin. Plein de contrition et de repentir, il demande pardon à genoux pour
tous les crimes qu'il a commis. Raymondin, les yeux
remplis de larmes, lui dit :

— Oublions le passé ! Je sais bien que rien ne me
fera retrouver votre mère, quels que soient mes
efforts. Je ne peux rendre la vie aux morts. Faites
reconstruire l'abbaye et les beaux bâtiments que vous
avez détruits en y brûlant cent moines, dans votre
terrible emportement, votre folie et votre orgueil
démesuré !

— J'obéirai, répond Geoffroy. Je ferai reconstruire l'abbaye avant longtemps, s'il plaît à Dieu, de façon à le contenter. Elle sera plus belle encore, je m'en vante, qu'elle n'était auparavant.

— On vous jugera à l'œuvre, dit Raymondin. On verra bien le résultat. Je vous laisse seul juge. Puissiez-vous tout mener à bonne fin ! Je veux m'en aller en voyage pour un pèlerinage au loin, que j'ai promis à Dieu depuis longtemps. C'est là mon désir et ma volonté. Je vous laisse mon pays en garde, à vous et à nul autre. Veillez sur votre frère cadet ! Je lui ai attribué Parthenay : le noble château de Vouvant, Chastel-Aiglon et Meurvent lui seront soumis et reconnaîtront son autorité sans contredit, jusqu'à La Rochelle. C'est la volonté qu'a fait connaître ma belle épouse, Mélusine, avant son départ : elle a longtemps parlé de lui. Qu'il gouverne ce pays ! Je le lui donne en héritage. Il sera un puissant seigneur.

— Je m'y accorde, répond Geoffroy, je respecterai vos vœux. Je veillerai sur mon frère Thierry, cela va sans dire, puisque vous m'en donnez l'ordre.

Raymondin prépara son voyage. Dès qu'il fut prêt, sans tarder, il se munit de vin, de vivres, et recommanda tous les siens à Dieu. Tous soupiraient de voir partir leur seigneur, dont ils avaient grand pitié. Raymondin prit congé, fit ses adieux et se mit en route. Geoffroy et Thierry, par affection, l'accompagnèrent un long moment. Geoffroy leur conta en route comment il avait trouvé le bon roi Hélinas dans la montagne que nul ne pouvait approcher, quelle que fût sa bravoure, s'il n'appartenait pas au même lignage. Il décrivit la tombe posée sur les grandes colonnes d'or, et la statue de Présine, représentée debout aux pieds de la tombe d'Hélinas, magnifiquement sculptée dans l'albâtre, tenant dans ses mains la tablette ; et il expliqua l'histoire, comme vous l'avez déjà entendue. Raymondin se réjouit d'apprendre ces nouvelles. Geoffroy lui dit aussi que sa mère était la fille du roi qu'il avait vu dans la montagne et de la courtoise Présine, dont la statue mesu-

rait plus d'une toise et deux pieds[49]. Puis il conta à
son père et à son frère le destin que Présine avait fixé
pour Mélior et Mélusine et pour la sage Palestine,
l'aînée des trois sœurs, et comment on avait enfermé
dans la montagne Hélinas, que Présine, évoquée plus
haut, chérissait tant. Raymondin se réjouissait fort du
récit de Geoffroy, qu'il écoutait avec grand plaisir. Ses
deux fils l'accompagnèrent très loin et firent longtemps route avec lui. Quand ils eurent bien cheminé
et qu'ils eurent pris un logis pour la nuit, ses fils prirent congé de lui et l'embrassèrent. Ils s'en allèrent au
matin sans plus attendre, laissant leur père poursuivre
son voyage. Tous fondirent en larmes : les fils pleuraient tout comme le père, tous étaient bien malheureux. Raymondin s'en alla, Geoffroy fit demi-tour,
suivi de Thierry. Tous deux rebroussèrent chemin, et
leur père fit route vers Rome. Les trois hommes se
séparèrent. Geoffroy regagna Lusignan et Thierry se
rendit à Parthenay. Il était jeune, vif et gai, hardi, fier,
plein d'initiative, doux et gracieux avec les dames,
grand et bien découplé : on n'aurait pas trouvé son
pareil. C'était un très beau chevalier, fort, vigoureux,
preux et agile. Tous le redoutaient et, de son vivant,
nul n'eut le dessus sur lui. On parlait de lui jusqu'à
Rome. C'était un homme de grand courage, un guerrier puissant, sage et rusé, redouté de bien des gens.
Et poussés par la force ou la raison, tous lui obéis-
saient jusqu'aux frontières de ses terres, qu'il eût
raison ou tort. Il se maria en Bretagne et donna sa foi
à une grande dame de très haut lignage, qui lui
apporta un riche héritage. Thierry possédait de
grandes terres et n'avait aucun ennemi. C'est de lui
que sort, en toute vérité, comme le raconte l'histoire,
le lignage de Parthenay, dont nous voyons aujourd'hui
la grandeur. Dieu veuille qu'un héritier lui naisse, qui
permette à la lignée de subsister jusqu'à la fin du
monde ! Mélusine n'avait-elle pas dit que la lignée
durerait longtemps et accomplirait bien des exploits ?

49. La toise valait à Paris 1,949 m, le pied 0,324 m.

Et n'ont-ils pas accompli des exploits en maints lieux ? Je n'en dis rien, ce serait trop long à raconter. Quant à Geoffroy, il convoqua sans retard des maçons de tous les côtés. Peu lui importait la dépense : il voulait reconstruire l'abbaye de Maillezais, qu'il avait brûlée. Des maçons vinrent de partout ; bien payés, ils se tenaient pour satisfaits. En un été, on refit l'abbaye, plus belle qu'elle ne l'avait jamais été. Ceux qui entendaient parler de Geoffroy disaient de lui en se moquant :

— D'où vient donc ce saint homme ? Renart s'est fait moine[50] ! Je n'aurais jamais cru voir le loup transformé en berger !

Mais laissons-là Geoffroy et parlons de son père, qui arriva à Rome auprès du Saint Père. Il se confessa à lui sans rien lui cacher, du début à la fin. Le Saint Père s'émerveillait des prodiges qu'il lui racontait. Que dire de plus ? Il lui imposa une pénitence, que Raymondin reçut de bonne grâce, disant qu'il ne rentrerait pas à Poitiers avant de l'avoir accomplie. Puis il dit au Saint Père, sans ambages, qu'il voulait se retirer dans un désert le reste de ses jours, pour expier sa faute envers Mélusine, son amour, sa femme, son épouse durant tant d'hivers et d'étés : par sa faute, il l'avait perdue et elle était devenue serpente. Jamais il ne l'oublierait, jamais plus il n'habiterait le pays où il avait perdu son doux amour, il n'y mettrait plus les pieds. Il ne pourrait pas l'oublier, mais il supplierait Dieu de bien vouloir alléger les souffrances de Mélusine et abréger sa pénitence. Le pape, qui se nommait Léon, lui demanda :

— Où comptez-vous aller faire votre pénitence ?

— Je veux m'établir à Montserrat, répondit le noble Raymondin, pour y servir et honorer Dieu[51]. Je

---

50. Dans *Le Roman de Renart*, Renart feint souvent le repentir et la conversion, pour mieux mener à bien ses tours : voir *Le Roman de Renart*, texte établi et traduit par J. Dufournet et A. Meline, Paris, Collection Garnier-Flammarion, 1985, branche VIII (Le pèlerinage de Renart) et XII (Les vêpres de Tibert).

51. A Montserrat, en Catalogne, fut fondée vers 1030, une abbaye bénédictine. On y trouvait en outre plusieurs ermitages.

veux y devenir ermite, là et nulle part ailleurs, car on
vient de me dire que c'est le plus beau des lieux.

— C'est un havre de dévotion. Allez-y donc, et
Dieu veuille que vous y fassiez votre salut ! dit le pape
avec bonté.

Raymondin eut tôt fait de quitter Rome. Chevauchant en toute hâte, il entra dans Toulouse, accueilli par
une foule de gens. Il donna congé à ses compagnons,
avec une riche récompense. Il ne garda avec lui qu'un
chapelain et un valet pour son service : c'était là sa seule
suite. Alors, recommandant ses gens à Dieu, il fit faire
des robes d'ermite pour ses deux compagnons et lui-
même, et se dirigea sans retard vers l'Aragon, jusqu'à
Montserrat. Là, il se fit ermite dans le troisième ermitage de la montagne haute et sauvage : avec son clerc et
son prêtre, il s'établit dans l'ermitage. C'est là qu'il
vécut longtemps dans l'affliction et la dévotion. Il aban-
donna le monde et vécut dévotement jusqu'à sa mort.
Mais trois jours avant sa mort, la serpente se montra
autour de Lusignan, où elle avait annoncé son retour.
Alors plusieurs personnes se souvinrent, plus de vingt,
je crois, qu'elles avaient entendu dire à Mélusine, le jour
où elles l'avaient vue disparaître, que quand le château
changerait de seigneur, elle se montrerait, trois jours
avant, autour de la magnifique forteresse de Lusignan.
Et plusieurs dirent, en plaisantant, qu'ils auraient
bientôt un nouveau seigneur.

Geoffroy était seigneur du château, où les richesses
abondaient. Il était comte et seigneur du pays et main-
tenait la paix sur sa seigneurie et ses terres. Mais voici
venir de Toulouse les barons qui avaient accompagné
Raymond à Rome et qui y avaient séjourné avec lui.
Ils rapportèrent à Geoffroy toute la vérité : que son
père s'était fait ermite et s'était séparé d'eux en leur
donnant de son bien. Geoffroy, à ces mots, appela son
frère et lui confia le pays. Lui-même s'éloigna avec
une petite escorte, le courtois et noble Geoffroy. Il ne
s'attarda pas longtemps à Lusignan, tant il avait hâte
d'accomplir sa mission. Il est inutile que j'allonge mon
récit à vous en conter plus. Il vint se confesser au

pape. Après avoir écouté la messe, il se confessa avec dévotion, sans rien oublier de ses péchés. Il souffrait et se repentait des maux qu'il avait laissé faire et qu'il avait accompli au cours de sa jeunesse. Plein de contrition, il les confessa tous de son mieux. Le pape, avec bonté, lui donna l'absolution. Quand Geoffroy lui eut tout raconté, il lui commanda de reconstruire sans plus tarder l'abbaye de Maillezais. Il lui imposa, comme pénitence, d'installer dans l'abbaye qu'il avait détruite et qu'il reconstruirait, cent vingt moines, avec une rente suffisante pour qu'ils ne manquent jamais de pain ni de vin dans les temps les plus durs.

— J'obéirai ! répondit Geoffroy, et je doterai l'église d'une prospérité qu'elle n'a jamais connue. J'ai déjà bien commencé car, avant de partir, j'ai fait reconstruire l'église que j'avais détruite, la charpente et la maçonnerie. Je la comblerai de dons et la remettrai en état, comme je le dois, plus belle encore qu'elle ne le fut jamais.

— C'est bien parler, dit le Saint Père, et bien agir pour l'âme de votre frère, que vous avez réduit en cendres en détruisant l'église. Mais si vous cherchez votre père, qui est déjà venu me voir, c'est à Montserrat que vous le trouverez : il s'y est fait ermite et y mène une sainte vie.

A ces mots, les yeux de Geoffroy se remplirent de larmes. Il prit congé du pape et se mit en chemin pour Montserrat. Il chevaucha longtemps car la route était longue, mais il arriva finalement à la montagne. Tout en haut, il trouva son père Raymondin, qui l'avait entendu venir et se réjouit de voir son fils. Geoffroy voulait lui faire quitter son ermitage. Mais il s'y refusa, déclarant qu'il y demeurerait jusqu'à la fin de ses jours, qu'il faisait de Geoffroy son héritier et lui léguait l'hommage de tous ses vassaux. Geoffroy resta quatre ou cinq jours. Malgré tous ses efforts, il ne put faire renoncer son père à demeurer à Montserrat et à y passer le reste de sa vie. Quand il comprit ce qu'il en était, il s'en retourna à Lusignan, prenant congé de son père sans s'attarder plus longtemps. Il eut tôt fait de convoquer les barons, qui obéirent à son ordre dès qu'ils apprirent ces nouvelles. Tous rendirent hommage à Geoffroy et firent de lui leur seigneur, dans l'allégresse et les réjouissances. Alors Geoffroy rebâtit Maillezais, l'abbaye qu'il avait détruite. Il y rétablit cent vingt moines et embellit le couvent. Les moines priaient Dieu nuit et jour, sans arrêt, pour lui-même, pour Mélusine et Raymondin, et pour tout leur lignage ; et leurs prières étaient bien nécessaires. Puis Geoffroy multiplia les bienfaits. Il rendit visite à son père et remplit honorablement son devoir. Raymondin vécut encore longtemps. Puis quand vint la fin, le moment où le grand comme le petit doit rendre l'âme, il rendit son âme à Dieu. Geoffroy, dès qu'il apprit la mort de son père, se rendit sans attendre à Montserrat. Il fit célébrer les obsèques et le fit enterrer dans l'abbaye de Montserrat, c'est la vérité, embaumé avec de précieuses herbes. Il développa l'abbaye, la dota de riches rentes : ce fut lui, je vous l'assure, le plus grand bienfaiteur de Montserrat. Chacun peut bien le savoir : Geoffroy accomplit son devoir. Puis il s'en retourna sans plus attendre et regagna Lusignan sans tarder.

Thierry était un très bon chevalier, vaillant et grand justicier. Puissant, il gouverna longtemps sa seigneurie de Parthenay. Il accomplit de beaux faits d'armes durant sa vie et maintint tout son pays en paix. Eudes gouverna le comté de la Marche, qu'il administra avec sagesse : il fit beaucoup de bien durant sa vie. Urien, roi de Chypre, fit la guerre aux Sarrasins, qui étaient ses proches voisins. Il fit chez eux des ravages et en massacra un grand nombre. Quant à Guy, roi d'Arménie, il fut d'un grand secours aux habitants de Rhodes. Il dirigea noblement sa terre. Après lui, ses héritiers ne cessèrent la guerre contre les Sarrasins mécréants qu'après les avoir complètement défaits : tous les Sarrasins les craignaient. Renaud, le roi de Bohême, fut puissant durant tout son règne, et ses héritiers, comme lui, affirmèrent leur puissance et surent bien gouverner leur pays. Antoine, duc de

Luxembourg, conquit bien des villes, des bourgs, et ses descendants, grands et petits, accomplirent de beaux faits d'armes. Quant à Raymond, on le chérissait dans le noble comté de Forez, car il était gracieux et habile. Les frères de Lusignan conquirent de grandes terres et de grandes richesses, et après eux leurs héritiers montrèrent partout leur valeur. Tous les frères se comportèrent vaillamment et conquirent bien des pays, sauf Horrible, qui fut mis à mort, et Fromont, qui fut brûlé ; et ce dernier aurait eu une conduite exemplaire, s'il n'avait pas été mis à mort. Tous leurs descendants prirent leur cri et leurs armes, et aujourd'hui encore, les Chypriotes lancent toujours le cri de « Lusignan ! », et continueront à lancer ce cri jusqu'à la fin de leurs jours. Tous furent de vaillants chevaliers pleins d'audace et de hardiesse. C'est d'eux qu'est issu le noble comte de Pembroke en Angleterre, dont on parle beaucoup aujourd'hui : il possède de nombreuses terres[52]. Les seigneurs de Cabrera en Aragon appartiennent aussi à la même lignée et descendent directement des frères de Lusignan[53]. Voilà la lignée issue d'Hélinas d'Albanie. Mélusine les mit au monde et les éduqua noblement, ainsi que Fromont leur frère, qui périt dans les flammes de Maillezais. On trouve encore à Maillezais la tombe de Geoffroy le valeureux chevalier : c'est là qu'il gît et qu'il repose. Je peux bien l'affirmer : j'ai vu sa statue sur une tombe de pierre ; sous la lame, on l'a mis en terre. Mais assez parlé de Geoffroy : venons-en au roi d'Arménie.

Mélior et le Château de l'Epervier

Il est un château en Arménie (en Grande Arménie, à ce que raconte l'histoire). Il appartient au monde

---

52. L'un des fils d'Hugues X de Lusignan (mort vers 1249) épousa l'héritière des Pembroke (Roach, p. 47).
53. Les Cabrera, famille noble de la cour de Barcelone, sont liés, par l'intermédiaire des comtes d'Urgel, aux comtes de la Marche (Roach, p. 46).

des fées et a pour nom le château de l'Epervier[54]. Il
faut y veiller trois nuits sans sommeiller, sans s'endormir. Et celui qui réussit l'épreuve peut demander
un don : il obtient tout ce qu'il demande, à la condition de ne pas demander la dame qui vit dans le châ-

---

54. Vers 1210, Gervais raconte, dans les *Otia Imperialia*, l'histoire de la dame du château d'Espervier (en Provence), qui est une
Mélusine : voir cette légende dans le dossier, *infra*. Les *Voyages de
Mandeville*, racontent déjà, vers 1360, l'histoire d'un roi d'Arménie
qui subit la même épreuve :
    Du don que la dame fee donna au roy d'Armenie, parce qu'il
refusait de faire un souhait.
    De Trébizonde, on peut voir la Petite Arménie. Dans ce pays, il y a
un château très ancien, dont les murs sont couverts de lierre et qui se
dresse sur un rocher : on l'appelle le Château de l'Epervier, et il se
dresse au-delà de la cité de Layans. Tout près de là, on trouve la ville
de Persippee (Perschembré), qui appartient au seigneur du Courc
(Gorighos), qui est un homme puissant et vaillant, un bon et loyal
chrétien. Dans ce château, on trouve un épervier magnifique sur une
perche et une belle dame qui le garde : c'est une fée. Quiconque
accepterait de veiller cet épervier sept jours et sept nuits (certains
disent trois jours et trois nuits), en restant seul et sans dormir si peu
que ce soit, verrait, après sa veille, la belle dame venir vers lui : elle
réaliserait le premier vœu qu'il ferait à propos de biens terrestres.
Cette aventure a souvent été tentée. Et même un roi, qui était un très
vaillant prince, veilla jadis dans le château. Après sa veille, la dame
vint à lui et lui demanda son vœu, car il avait bien fait son devoir. Mais
le roi répondit qu'il était déjà un très grand seigneur, que son royaume
était en paix, qu'il avait assez de richesses, et qu'il ne souhaitait rien
d'autre que la personne et l'amour de la belle dame. Elle lui répondit
qu'elle ne savait ce qu'il voulait, qu'il était fou et qu'il ne pouvait
pas l'avoir, elle, car il ne devait demander que des biens terrestres, et
elle appartenait au monde des esprits. Mais le roi s'obstina à ne rien
vouloir d'autre. La dame lui répondit : "Puisque je ne peux vous faire
oublier votre folle pensée, vous aurez un don sans l'avoir choisi, vous
et tous vos descendants : vous aurez la guerre sans pouvoir garder
votre pays et vous serez en la sujétion de vos ennemis jusqu'à neuf
générations après vous, et vous serez toujours dans le besoin !" Et puis
jamais un roi d'Arménie n'a connu la paix ni la richesse, et depuis ils
ont toujours dû payer tribut aux Sarrasins. » (*Mandeville's Travels*, éd.
M. Letts, Londres, 1953, II, pp. 311-312, traduction du texte du plus
ancien manuscrit des *Voyages de Mandeville*, un manuscrit français
daté du 18 septembre 1371). Mandeville évoque également une autre
légende proche de celle de Mélusine : la légende du Fier Baiser (*ibid.*,
pp. 240-241). La fille d'Hippocrate vit dans l'île de Cos sous la forme
d'un dragon. Elle retrouvera sa forme humaine le jour où un chevalier
lui donnera un baiser. Ce motif folklorique est entré dans la littérature
romanesque dès le début du XIIIe siècle, avec *Le Bel Inconnu* de
Renaut de Beaujeu (éd. G. Perrie Williams, Paris, Champion, 1978,
trad. M. Perret et I. Weill, Champion, 1991).

teau. Mais s'il s'endort si peu que ce soit, il demeure
là à jamais avec la maîtresse des lieux, dont on
chante les louanges : elle se nomme Mélior, elle est
fille de la fée Présine. Il était alors un roi d'Arménie,
un beau chevalier, grand et bien découplé, dans toute
l'ardeur de sa jeunesse et plein de vaillance. Il dit
qu'il voulait aller veiller au puissant château de
l'Epervier : on venait de lui raconter l'aventure et de
lui expliquer comment il fallait veiller pour obtenir le
don. Il dit qu'il saurait bien veiller et qu'il deman-
derait un don. C'est ce qu'il devait faire, mais à la
fin il devait s'en repentir de tout son cœur. Sur-le-
champ, il prépare son voyage. Il part de chez lui sans
faire d'étape et dit qu'il ira veiller au château et
conquérir le précieux don. Et s'il voit la belle dame,
il ne voudra pas d'autre don qu'elle. Mais c'est là
une folle pensée : il n'aura la dame ni pour épouse
ni pour amie. Pourquoi m'attarder plus longtemps ?
Le chevalier monte dans son char[55] et chemine si
bien qu'il arrive au château de l'Epervier, une nuit
de Saint-Jean[56] ; mais c'est pour son malheur. Il
n'oublie pas de faire tendre son pavillon dans la
prairie. Puis le noble et gracieux chevalier s'arme et
quitte les siens. Il arrive à la porte du château, tenant
à la main une volaille dont il compte nourrir l'épervier. Il voit alors surgir du château[57] un homme tout

55. « Le chevalier au curre monte » (v. 5892). Vers 1400, on
voyageait à cheval ou en litière. Le *curre* est un véhicule à roues
et désigne, plus haut, le chariot dans lequel on transporte le
cadavre du géant Grimaut. Mais le jeune roi d'Arménie ne saurait
voyager ni dans une litière, ni dans un chariot. Le *curre* désigne
aussi le char des guerriers de l'Antiquité (dans le *Roman
d'Alexandre*, par exemple). Peut-être Coudrette joue-t-il ici de la
référence antique.
56. La nuit de la Saint-Jean est traditionnellement associée aux
apparitions féeriques.
57. L'apparition de l'homme en blanc (couleur de la féerie) semble
répondre au désir du héros, tout comme celle du château du Graal
dans *Le conte du Graal* de Chrétien de Troyes : « Adoncques voit du
chastel naistre / Un homme tout de blanc vestu » (Coudrette, *Mélusine*, vv. 5904-5905) ; « Lors vit devant lui en un val / lo chief d'une
tor qui parut » (Chrétien de Troyes, *Le conte du Graal*, éd. et trad.
C. Méla, Paris, Lettres gothiques, 1990, vv. 2988-2989).

de blanc vêtu et d'une grande taille[58]. Le sang s'était retiré de son visage et il était entièrement vêtu de blanc. On voyait bien à son visage qu'il était très âgé. Il demande au roi ce qu'il veut. Le roi répond qu'il vient se soumettre à la coutume de ce noble lieu. L'homme en blanc lui répond :

— Venez, au nom de Dieu ! Je vais vite vous mener là où vous trouverez l'aventure.

Il passe devant, le roi le suit. Tous deux gravissent les marches qui mènent à la grande salle. Et le roi s'émerveille des splendeurs qu'il découvre, qu'il apprécie et approuve fort. Il voit l'épervier sur sa perche, un grand oiseau beau et gracieux. Le noble personnage qui l'accompagne lui dit aussitôt :

— Roi, écoutez-moi bien ! Il vous faut veiller près de cet épervier trois jours et trois nuits sans jamais dormir. Si vous échouez, vous demeurerez ici à jamais. Mais si vous veillez durant le temps fixé sans jamais vous endormir, sachez qu'à coup sûr vous obtiendrez tout ce que vous demanderez. Il s'agit, certes, des biens terrestres et non des biens célestes, à une seule exception : la dame elle-même. Elle, vous ne sauriez l'avoir pour tout l'or du monde !

Le roi dit qu'il compte bien veiller sans jamais s'endormir et qu'il prendra bien soin de nourrir l'épervier. Il commence donc sa veille, en disant qu'il va réfléchir au don qu'il demandera après les trois nuits. Mais bien mal inspiré, il va demander un don qui lui coûtera cher ! Après ces mots, le noble personnage se retire. Le roi reste seul, tout absorbé dans la contemplation des splendeurs qu'il voit. Il veille le jour et la nuit dans la joie et l'allégresse, sans

58. « Qui moult sembloit estre testu » (v. 5906). Le sens de *testu* n'est pas clair. Au vers 2873, le même adjectif est appliqué par Raymondin aux moines de Maillezais dans un contexte péjoratif : « Mais les moines de Maillezais, que tu veux rejoindre, sont grossiers » (*supra*, p. 86). Ce sens moral est ici impossible. Le sens physique suggéré par l'éditeur (*qui a une grosse tête*) peut évoquer la grande taille du personnage, souvent liée aux êtres fantastiques.

jamais s'endormir, demeurant éveillé et attentif et nourrissant soigneusement l'épervier du mieux qu'il peut. Voyant autour de lui vins et mets à foison, toutes sortes de provisions, il se restaure lui-même tout à son gré. Le lendemain, il veille toute la journée puis toute la nuit sans relâche. Au matin, il a grand plaisir et grande joie à nourrir l'épervier. Derrière l'oiseau, il voit une porte ouverte : il a tôt fait d'entrer. Il découvre des splendeurs : il n'a jamais vu pareille richesse. Il y avait là une foule d'oiseaux peints en vermillon et toute la chambre était peinte et recouverte d'or fin. Sur tous les murs, on voyait des portraits de chevaliers qu'on avait représentés avec leurs armoiries. Au-dessus des portraits figuraient les noms des chevaliers. Et l'inscription précisait :

— En telle année, tel chevalier veilla ici, mais il ne put s'empêcher de dormir. Il a dû demeurer céans pour nous servir et nous honorer, et jamais il n'en partira avant le jour du Jugement.

A trois autres endroits dans la chambre, on pouvait apercevoir un blason qui surmontait une inscription ; et l'inscription disait :

— En ce château, en telle année, on a vu venir ce chevalier qui a su veiller notre épervier sans s'endormir, comme l'imposait l'épreuve. Il est reparti avec le don qu'il a gagné par sa sagesse et sa diligence.

La chambre était ainsi recouverte du bas du mur jusqu'au plafond de peintures qui révélaient les pays et les régions étrangères d'où étaient venus les vaillants chevaliers qui ne s'étaient pas laissés aller au sommeil, mais avaient eu la force de veiller ; et l'on voyait les dons qu'ils avaient emportés. Le roi rêve si longtemps sur les splendeurs de la belle forteresse qu'il manque s'endormir. Mais il réussit à toujours rester éveillé. Il se met à se dire qu'il pourrait bien rêver là trop longtemps. Il sort vite de la chambre et veille bravement toute la nuit. Au matin, il voit apparaître la dame, vêtue de vert : sa robe était d'un vert vif, comme le voulait la saison, car l'aventure se déroulait en plein cœur de l'été[59]. Le roi, tout heureux de sa venue, la salue avec courtoisie. La dame lui dit gracieusement :

— Vous vous êtes bravement acquitté de l'épreuve. Enoncez le don de votre choix : je ne vous le refuserai pas ! A l'exception d'un seul don, comme on vous l'a déjà dit, demandez ce que vous voudrez !

— Grand merci ! douce et noble dame, répond le roi. Certes, mon doux cœur, je ne veux rien d'autre que vous.

A ces mots, courroucée, elle a tôt fait de refuser ce don et de dire :

— Pauvre sot, vous n'aurez pas ce don ! Demandez-moi autre chose : vous ne pouvez m'avoir pour rien au monde !

Mais lui répond :

— Je ne veux d'autre don que vous-même pour récompense. Je ne demanderai jamais d'autre don, je le jure, si je n'obtiens celui-là !

La dame, furieuse, lui répond aussitôt :

— Sachez que si vous vous obstinez, vous me perdrez, tout comme votre don, et que vous serez l'objet d'une infortune dont vous ne viendrez jamais à bout ; vos héritiers seront dépossédés du royaume qui est le vôtre et que vous gouvernez aujourd'hui.

— Que ce soit sagesse ou folie, répond le roi, je veux avoir votre amour. Vous me devez un don, et je ne veux pas d'autre récompense !

— Pauvre sot, tu n'auras rien ! Tu as perdu la partie. Le seul don que tu emporteras, c'est le malheur qui te poursuivra. Ta ruse t'a perdu, en te poussant à cette folie. Ton ancêtre, par sa folie, a perdu sa dame, son amour, par sa démence, son orgueil démesuré, pour s'être abandonné à sa passion : c'est Mélusine, qu'il avait épousée en lui passant l'anneau au doigt. Elle avait fait de lui le plus grand de tous les

---

59. Dans le folklore anglais, les fées sont le plus souvent vêtues de vert, alors que dans les traditions française et germanique, la couleur de la féerie est le blanc. Voir K.M. Briggs, *The Fairies in Tradition and Literature*, Londres, 1968, pp. 7, 8, 23, 26, 110.

seigneurs. Le roi Guy, dont tu descends, était mon neveu, comprends-tu ? Nous sommes trois sœurs, sans mentir, et notre faute a été d'enfermer Hélinas, notre père, dans la montagne, et de l'y emprisonner, pour avoir trahi et transgressé le serment qu'il avait prêté à notre mère, nommée Présine. Il ne devait à aucun moment la regarder pendant ses couches. Mais il refusa d'obéir. Il la vit, comme je te le dis. Voilà pourquoi il nous a perdues, elle-même et ses trois filles. Mais quand nous l'eûmes enfermé dans la montagne, en réunissant nos forces, notre mère fut furieuse contre nous. Elle me plaça ici, par son pouvoir de fée, pour y garder l'épervier sans jamais m'en éloigner. Mais elle me fit don du château : voilà le destin qu'elle me fixa. Quant à Mélusine, ma sœur, qui était une belle jeune fille, elle lui assigna ce destin : à tout jamais, durant tout son séjour en ce monde, elle serait serpente le samedi ; je te dis la vérité. Mais Raymondin trahit sa foi envers elle et la perdit par sa faute. Il ne devait pas la voir le samedi sous cette forme. Il la vit pourtant, dans sa folie, et perdit ainsi sa présence, qui avait fait de lui l'homme le plus puissant qu'on eût jamais vu. Cette faute provoqua sa chute et celle de sa lignée. Depuis ce jour, loin de grandir, les Lusignan n'ont connu que la déchéance, on peut bien le voir aujourd'hui encore. Palestine, ma sœur aînée, est enfermée au Canigou, une haute montagne d'Aragon. Elle ne quittera pas cette montagne avant la fin du monde : elle y gardera le trésor du roi Hélinas notre père. Ainsi l'ordonna notre mère. Et nul homme ne conquerra jamais le trésor, s'il n'appartient pas au lignage de Lusignan. Tu sais maintenant d'où tu descends. Tu es mon neveu, comprends-tu[60] ? et tu ne devrais pas chercher à m'avoir pour femme. Comme tu ne veux pas y renoncer, les malheurs vont s'abattre sur toi et tu connaîtras la déchéance, ainsi que ton lignage, sois-en sûr ! Car ceux qui te succéderont et

---

60. Au vers 6122, « Se tu es mes nieps, entenduz », a été corrigé en « Se tu es mes nieps, entens tu » (ms T).

gouverneront ton royaume finiront par perdre à la
guerre et le royaume et la terre. Et le dernier de tes
successeurs portera le nom du roi des animaux[61].
Voilà ce qui arrivera, crois-moi, on le verra bien à la
fin, car je ne mens pas d'un mot. Sans ta coupable
pensée, ta folie et ton orgueil démesuré, tu aurais été
béni au lieu d'être maudit. Quitte ces lieux, ou tu
recevras une punition que tu sentiras bien !

Le roi l'écoute, cherche à la saisir, mais elle disparaît et s'évanouit à sa vue : il n'en retirera que honte et
tourment. Aussitôt on le saisit par les manches, on le
frappe sur les flancs, les hanches, les jambes, les bras
et la tête : il est bien mal traité. Il ne voit que le bourre
de horions mais il sent bien les coups sur son échine,
il en a la peau toute noire.

— Hélas ! dit-il, pitié, au nom de Dieu ! Laissez-moi partir, ou je suis mort !

Alors on le jette dehors. Le roi s'enfuit sans s'arrêter. Il a été si bien frotté par tout le corps qu'on n'a
pas oublié un seul endroit de sa personne. Il s'éloigne
en toute hâte et retrouve ses hommes dans le pré. Ils
lui demandent de ses nouvelles, car ils ignorent tout
de l'aventure, et comment il s'est comporté, et s'il a
veillé dans le château devant le gracieux épervier, sans
jamais s'endormir. Le roi répond sans ambages :

— Oui, pour mon malheur !

Il les fait partir sur-le-champ, le plus rapidement
possible. Les voici déjà à la mer, tant ils chevauchent
vite. Le roi s'embarque avec sa suite dans une barge,
sans plus tarder, puis se fait désarmer. Ils ont sur mer
un temps favorable et mettent toutes les voiles, si bien
qu'en peu de temps ils sont à bon port. Le roi
débarqua au Courc, en Arménie. Il comptait depuis
avoir un long règne, mais sa fortune ne cessa de
décliner. Bien des fois il maudit le jour où il s'était pris
d'amour pour Mélior. C'était par sa faute, il le savait
bien, que tout son pays se dépeuplait, qu'il le voyait

61. Il s'agit du roi Léon VI de Lusignan, chassé de Petite
Arménie en 1375 et mort à Paris le 29 novembre 1393.

désolé et ravagé. Et quand il quitta ce monde, le roi qui lui succéda eut un règne deux fois pire. Et c'est ainsi que jusqu'au neuvième descendant les rois d'Arménie ont perdu leur pays et leurs biens et n'ont connu que malchance. J'ai vu arriver en France le roi qu'on avait chassé d'Arménie. Il est venu en France pour y mourir. Longtemps hébergé par le roi de France, il a fini par mourir à Paris, et on l'a enterré, je crois, au milieu d'une nombreuse assistance, au couvent des Célestins. Je laisserai là son histoire ; j'ajouterai seulement que la suite de ce noble chevalier était toute vêtue de blanc, alors qu'en France on est habitué au noir. Je ne dis rien que de vrai, sans mentir : c'est une chose bien connue que cent personnes ont pu clairement voir si elles assistaient à l'enterrement. Et bien des gens s'en étonnèrent, car ils n'avaient jamais rien vu de tel[62]. Pourquoi cette coutume ? je n'en sais rien. Mais après ce château de

---

62. Cf. *Chronique du Religieux de Saint-Denis*, éd. et trad. Bellaguet, Paris, 1839-1852, XIV, 14, tome II, p. 112 : « Le premier dimanche de l'Avent, monseigneur Léon, roi de la Petite Arménie, mourut dans son hôtel à Paris. J'ai raconté plus haut que ce prince avait été banni de son royaume et recueilli par le roi de France, qui, depuis dix ans, n'avait cessé de le combler des marques de sa libéralité et lui faisait sur son trésor royal une pension annuelle assez considérable pour qu'il pût tenir un état de roi. Lorsqu'il sentit approcher sa dernière heure, il voulut mourir en bon catholique et fit appeler ses serviteurs et les ecclésiastiques qui faisaient partie de sa maison. Il confessa ses péchés avec un esprit de contrition et d'humilité, déclara avec piété et ferveur qu'il croyait à tous les articles de foi, et reçut tous les sacrements de l'Eglise. Il fit ensuite quatre parts de l'immense trésor et du riche mobilier dont l'avait gratifié la munificence du roi et légua par son testament la première aux pauvres et aux ordres mendiants, la seconde à son fils naturel, la troisième à ses familiers et la quatrième à ses maîtres d'hôtel. Il avait choisi pour lieu de sépulture l'église des Célestins de Paris, et avait ordonné qu'on l'y transportât avec le cérémonial usité pour les rois d'Arménie. En conséquence, ses familiers se vêtirent de robes blanches pour lui rendre les derniers devoirs, au grand étonnement de la multitude, qui n'avait jamais rien vu de pareil. Le corps vêtu de blanc fut placé sur un lit d'or et les gens qui portèrent les torches, comme c'est l'usage aux funérailles royales, étaient aussi habillés de blanc. Ce fut dans cet appareil et avec ce cortège que le clergé conduisit le corps jusqu'à l'église des Célestins. On y célébra l'office des morts et on l'y enterra dévotement. » Cf. Juvénal des Ursins, *Histoire de Charles VI*, éd. Buchon, p. 395.

l'Epervier, je veux maintenant conter l'histoire de
Palestine, la plus belle des demoiselles.

Palestine et Le Mont Canigou

Voici l'histoire de Palestine, la douce, la courtoise
jeune fille, qui est enfermée dans le Mont Canigou, au
pays d'Aragon, où elle garde le trésor de son père,
selon le commandement de sa mère. Et celui qui
pourrait conquérir le trésor conquerrait aussi la Terre
Promise. Mais nul jamais ne le conquerra, s'il n'appartient pas au lignage de Lusignan. Je vous parlerai
rapidement de Palestine, car la chronique passe briè-
vement sur elle : je vous en dirais plus, si j'en trouvais
plus, mais je dis ce que je trouve, sans rien inventer.
Revenons donc à Palestine : Présine lui avait fixé pour
destin de vivre dans la montagne dont je vous parle,
infestée de serpents cruels. On ne saurait gravir la
montagne sans trouver bien des aventures[63]. Bien des
chevaliers s'y sont rendus, en toute saison, mais nul
n'en est jamais revenu ; ceux qui ont séjourné sur le
mont sont tous morts et disparus, comme le disent
mes textes. Il y a eu bien des chevaliers forts, vigoureux et agiles, pour tenter la conquête du trésor. Mais
ils n'y ont rien gagné. Ils n'y sont allés que pour leur
malheur, car pas un seul n'en est retourné. Un cheva-

---

63. Déjà vers 1210, Gervais de Tilbury racontait, dans ses *Otia
Imperialia*, des légendes merveilleuses attachées au Canigou. « Il est
en Catalogne, dans l'évêché de Gérone, une montagne fort haute, à
qui les habitants ont donné le nom de Canagum ; son pourtour est
abrupt et en grande partie inaccessible. A son sommet, il y a un lac
aux eaux très noires et au fond insondable : il s'y trouve, rapporte-
t-on, une demeure des démons, aussi vaste qu'un palais, à la porte
close ; mais la demeure et les démons eux-mêmes restent inconnus
et invisibles au commun des gens. Si l'on jette une pierre ou
quelque autre chose pesante dans le lac, une tempête éclate aussitôt, comme si les démons étaient courroucés » (Gervais de Tilbury, *Le Livre des merveilles*, trad. A. Duchesne, Paris, 1992, p. 78).
Gervais rapporte également l'histoire d'un père excédé par les
pleurs de sa fille, qui la voue aux démons. Elle passe sept ans dans
le Canigou, avant de lui être rendue « grande, décharnée, la peau
sombre, horrible à voir » (*ibid.*, p. 79-80 et note 181, p. 164).

lier vint d'Angleterre, habile dans l'art de la guerre, bon chevalier, preux et vaillant ; jamais il n'avait manqué d'accomplir son devoir. Il était doux et bien appris, car il avait été élevé dès l'enfance avec des chevaliers de valeur, à la cour du bon roi Arthur. Il avait tous les mérites, car il appartenait au lignage de Tristan, le meilleur chevalier du monde, et il avait environ trente ans (je ne vous dis que la vérité). Il entendit parler du grand trésor et déclara qu'il voulait aller au Mont Canigou et qu'au prix de tous ses efforts, il conquerrait le trésor. Puis il se rendrait en Terre Promise et conquerrait la contrée à la pointe de l'épée. C'était un bon et hardi chevalier. Il se mit en route un mardi pour l'Aragon, accompagné d'un seul petit page. Il chemina si bien, en un mot, qu'il arriva en Aragon. Il demanda la montagne, qu'on lui indiqua. Mais un monstre y habitait, d'une cruauté et d'une férocité prodigieuses. C'était le pire danger que l'on pût affronter. Il avait la panse grosse comme un tonneau et ne bougeait pas de sa fosse. La grandeur de ce monstre était un prodige. Il n'avait qu'une oreille : c'était une bête fantastique, sans nez, avec un seul œil au milieu du front, qui mesurait bien trois pieds de circonférence. Son souffle sortait par l'oreille et dès que ce maudit démon s'endormait, toute la montagne retentissait du bruit de ses ronflements. Sa fosse, sachez-le, se trouvait devant la demeure de Palestine, qui gardait le trésor de son père Hélinas, selon le commandement de sa mère. Dans cette fosse, il y avait une porte de fer, qui ouvrait sur un trou, où était enfermé le trésor. Jamais on n'avait ouvert cette porte, car le monstre en avait la garde. Nul homme ne saurait entrer par cette porte, s'il n'est issu du fameux lignage dont je vous parle : Présine en avait ainsi décidé, quand elle avait fixé le destin de ses filles. La fosse était à mi-pente, et bien des gens y avaient péri. Au-dessous, il y avait une foule de grottes et de trous remplis de serpents dangereux et d'autres pièges ter- ribles par lesquels il fallait passer. On n'avait encore jamais vu revenir les hommes qui avaient décidé d'y aller. Il n'y avait qu'un petit sentier très étroit, qu'il fallait gravir sur trois lieues sans la moindre pause, car on n'aurait trouvé d'aucun côté le moindre endroit où s'asseoir, à moins de s'asseoir sur des serpents. Il y en avait une quantité infinie, car le lieu était inhabitable, à cause de la peur qu'inspirait ce diable, ce monstre dont je vous ai parlé. Voilà ce que dit mon texte.

Revenons au chevalier, monté sur son destrier. Il chevauchait tout seul, accompagné de son seul page. Le bon chevalier sans reproche arrive près du Canigou. Il trouve sur son chemin un homme qui le guide jusqu'à la montagne et le laisse à une demi-lieue, lui disant :

— Je ne vous suivrai pas plus loin, seigneur. Voici la montagne. Je ne veux ni perdre ni gagner davantage. Allez-y donc, noble chevalier !

Il lui indique alors le sentier par où il doit monter, et duquel jamais il ne reviendra : nul homme n'en est jamais revenu, et plus de vingt pourtant ont tenté l'aventure. Le brave homme, sans plus tarder, s'éloigne et fait demi-tour. Le chevalier continue d'avancer et chevauche jusqu'à la montagne. Une fois arrivé, il met pied à terre et confie son coursier au jeune homme, lui ordonnant de l'attendre et de ne point descendre de cheval jusqu'à son retour. Mais le page attendra pour rien. Il peut bien laisser son cheval paître, jamais son maître ne reviendra. Le chevalier s'éloigne, faisant le signe de croix et se confiant à Dieu. Il s'engage dans le sentier : il n'en a jamais pris d'aussi redoutable. Bien armé, il tient à la main son épée d'acier. Il gravit la montagne par le sentier raide et étroit. Surgit un grand serpent qui s'élance sur le chevalier, croyant le dévorer sur-le-champ. Il avance, la gueule grande ouverte. Mais le vaillant chevalier brandit sa lame bien emmanchée et attaque le serpent : se précipitant sur lui, il lui tranche la tête d'un seul coup. Le serpent tombe aussitôt, mort : il mesurait bien dix pieds de long. Quand il voit le serpent mort, le chevalier reprend son ascension. Mais aussitôt, à toute allure, voici un ours qui l'attaque. Sans se laisser démonter, il s'élance sur l'ours, tirant son épée du fourreau, en hardi chevalier qui ne connaît pas la peur.

L'ours agrippe son écu et lui attrape l'épaule ; il déchire et brise la cotte de mailles, fait tomber l'écu à terre. Le chevalier sait bien user de son épée : il en frappe sur le groin l'ours qui l'a agrippé, et lui tranche plus d'un pied de chair. Il ne craint plus d'être mordu maintenant : il lui a tranché le museau jusqu'aux yeux. C'était un très vieil ours, qui faisait plutôt grise mine ! Mais cela ne l'empêche pas de lever une patte, croyant saisir le chevalier. Celui-ci, rapide et léger, saute de côté pour esquiver l'ours féroce et cruel. D'un coup de revers, il lui tranche une patte de son épée. L'ours, furieux, se dresse sur ses pattes de derrière et, s'approchant du chevalier, l'attrape de son autre patte et lui déchire toute son armure. Tous deux tombent ensemble. L'ours ne pouvant le mordre, le chevalier tente de se dégager. Il enfonce une dague bien émoulue dans la gorge de l'animal, lui infligeant une terrible blessure. L'ours lâche alors sa prise, et aussitôt le chevalier parachève son supplice en lui coupant l'autre patte d'un coup d'épée. La bête pousse un cri terrible et le chevalier, sans répit, la frappe au ventre, lui enfonçant son épée jusqu'à la garde. L'ours tombe mort à terre. Le bon chevalier d'Angleterre essuie alors son épée et poursuit son ascension. Il fait des ravages parmi les serpents et massacre toutes les bêtes qu'il rencontre. Malgré sa souffrance, il parvient à se frayer un chemin jusqu'en haut et arrive à la fosse : là se trouve le monstre qui garde la porte de fer derrière laquelle est enfermé le trésor, par le pouvoir des fées. Il croit pouvoir posséder ce trésor : quelle folie ! il est venu ici pour son malheur. Il dévale dans la fosse de toute sa vitesse et le monstre l'aperçoit de son œil qui a trois pieds de tour. Dès qu'il le voit, le monstre à l'énorme panse, enflammé d'une colère prodigieuse, tout enragé, s'avance vers le bon chevalier, qui le voit venir. Quoi qu'il lui en coûte, il faut qu'il l'affronte. Il dégaine sa belle et bonne épée, et en assène au monstre un grand coup. Mais ce coup n'a aucun effet, car rien ne peut blesser la bête, ni fer, ni bois, ni acier. Le monstre prend l'épée dans ses dents et la coupe en deux : impossible de la lui arracher. Elle était pourtant

d'un bon acier dur et bien trempé. Mais à quoi bon
l'acier trempé ? Le monstre, gueule ouverte, ne fait
qu'une bouchée du chevalier et l'engloutit d'un seul
coup. Je ne vous mens pas : il avale le chevalier sans
qu'on voie rien dépasser de sa gueule, comme un pâté
qu'on mettrait au four. Voilà la triste fin du chevalier.
Ce fut une grande perte : il était plein de hardiesse, il
avait accompli de nombreux exploits. Mais il n'en fera
plus maintenant, le bon chevalier d'Angleterre, qui
croyait conquérir le trésor. Ainsi périt, dévoré par le
monstre, ce héros plein d'honneur. Quel deuil et quelle
grande perte ! Il était si vaillant ! Ainsi mourut le chevalier, privé de tout secours. Jamais nul n'alla aussi haut
que lui dans la montagne, c'est là un titre de gloire qu'il
faut rappeler et se garder d'oublier. Car nul homme, à
ce que dit l'histoire, ne monta jamais aussi haut dans la
montagne féerique que ce bon chevalier. Son page
attendit deux jours au pied de la montagne puis s'en
retourna en Angleterre. Il raconta l'aventure à tout le
monde, et l'on fit mettre l'histoire par écrit pour en
conserver la mémoire. Et le page connut l'histoire par
un devin qui fut jadis disciple de Merlin et qui habitait
dans la région. Tout le monde accourait chez lui. A
propos de tout événement, il disait la vérité. Et il savait
parfaitement, comme s'il y avait assisté, tout ce qui
s'était passé dans la montagne. Ce devin était né en
Espagne et avait étudié à Tolède, comme en témoigne le
texte, plus de vingt ans auparavant[64]. A tous ceux qui
venaient vers lui, il disait la vérité sur tout ce qu'on lui

64. Tolède, foyer culturel et religieux, était réputée pour son
école de traducteurs. Les traducteurs de Tolède ont traduit les
textes philosophiques grecs conservés en arabe, en particulier
l'œuvre d'Aristote. De là la naissance d'une légende vivace tout au
long du Moyen Age, selon laquelle on trouverait à Tolède une école
de magie. Les enchanteurs des chansons de geste ont fait leurs
études à Tolède. Voir S. Roblin, « L'enchanteur médiéval à l'école
de Tolède », *Histoire et littérature au Moyen Age*, éd. D. Buschinger,
Göppingen 1991. Rabelais évoque encore la légende, au chapitre 23
du *Tiers Livre*. « On temps que j'estudiois a l'eschole de Tolete » (dit
Panurge), « le reverend pere en diable Picatris, recteur de la faculté
diabolologicque, nous disoit que les diables craignent la splendeur
des espees aussi bien que la lueur du soleil. »

demandait. Voilà pourquoi le page, qui était sage et fin, alla le trouver. Il sut par lui la vérité sur l'aventure que je vous ai contée.

Il vint un chevalier de Hongrie, qui était de noble lignage, pour conquérir le trésor. Mais jamais il ne put s'en approcher. Il vint jusqu'à la montagne, qu'il gravit de dix ou vingt pas. Mais bien vite il fut dévoré par les serpents avant d'avoir pu monter plus haut. Il y en eut encore bien d'autres, qui furent à chaque fois dévorés. Nul homme ne conquerra le trésor s'il n'appartient pas au lignage d'Hélinas, le roi d'Albanie, et à sa propre maison. Quel malheur que le chevalier d'Angleterre, si preux, si vif, n'eût été de son lignage ! Il était pourtant de haute naissance, puisqu'il descendait de Tristan, à ce que rapporte l'histoire. S'il avait été du lignage d'Hélinas, il aurait conquis le trésor, car sa chevalerie égalait, ou presque, celle des neuf preux.

Il arriva vers cette époque qu'un messager rendit visite à Geoffroy la Grand Dent, qui menait joyeuse vie dans son château de Lusignan : vous ne verrez pas la pareille de sitôt. Avec des dames et des demoiselles nobles, gracieuses et belles, il se divertissait dans un verger. Voici venir le messager. Il vint à Geoffroy, le salua. Geoffroy lui souhaita la bienvenue, car ce messager était gracieux et savait bien parler. Le héros lui demanda des nouvelles devant les dames et les demoiselles, et l'autre lui raconta tout ce que je viens de vous dire. Il lui rapporta toute l'aventure : où était le repaire du monstre féroce qui avait massacré tant de chevaliers nobles, gracieux, forts et vaillants, et comment ce monstre gardait le trésor d'Hélinas, un roi si riche qu'on n'avait jamais vu pareil trésor. Geoffroy s'émerveilla de l'histoire de ce monstre et dit qu'il comptait bien y aller, pour massacrer le monstre et conquérir le trésor. Il ordonna donc aussitôt à ses hommes de se préparer, appela son frère Thierry et lui commanda de gouverner tout le pays jusqu'à son retour. Geoffroy le hardi guerrier avait en effet toujours refusé de se marier et de donner sa foi à une femme. Il confia la terre à son frère, en lui disant que quoi qu'il arrivât, il partait sur-le-champ à la conquête de ce riche trésor. Mais au moment de se mettre en route, il tomba malade, car il était déjà vieux, bien plus vieux que vous tous. Il lui fallut s'aliter, et le bon chevalier fort et impétueux qui avait accompli tant d'exploits ne devait plus jamais se relever de son lit. Hélas ! il aurait conquis le trésor, s'il avait vécu plus longtemps, et la Terre Promise, cette sainte contrée. Mais la Mort, qui enserre le faible comme le fort, se mit en guerre contre Geoffroy la Grand Dent. Elle lui fit une guerre mortelle, où il eut le dessous, car contre elle, nul homme n'a ni force ni puissance. Elle fait de tous ce qu'elle veut, du faible comme du fort. Nul ne peut lutter contre la mort, qu'il soit duc, prince, comte ou roi. Son trait a atteint Geoffroy droit au cœur. Ce fut un grand malheur : il aurait fait tant de bien en Poitou, avant la fin de l'année ! Il avait déjà prévu la fondation et la construction d'églises et fixé leurs rentes. Hélas, malheureux ! Elles resteront à l'état de projet et ne seront jamais construites. C'est grande pitié et grand malheur. Si seulement Notre Seigneur l'avait laissé vivre ! Geoffroy était dans son lit, malade, et sentait qu'il était durement atteint. Il ne pouvait boire ni manger et appela vite le prêtre. Le prêtre venu, il se confessa et fit dire une messe devant lui. Puis il dicta son testament : il régla tous ses legs et précisa bien qu'il voulait être enterré à l'abbaye de Maillezais, qui était un lieu magnifique, car il venait de le rebâtir. Il avait détruit la noble église de Maillezais : il l'avait rebâtie et reconstruite. C'est là qu'il gît, c'est là qu'est sa tombe : je l'ai vue de mes yeux. Il rédigea son testament de son mieux, et tous ses legs furent versés avant sa mort, en sa présence, tous, sans en oublier une maille. Puis il rendit son âme à Dieu. Que Dieu lui fasse miséricorde, par sa grâce, et lui pardonne ses fautes, car il fit beaucoup de bien dès qu'il se laissa guider par la raison, et il aurait continué, assurément, s'il avait vécu plus longtemps ! Il est mort, qu'en dire de plus ? Que Dieu lui pardonne !

Thierry était un bon chevalier. Geoffroy lui donna en héritage tout le pays qu'il dirigeait et qui lui appartenait. Thierry le dirigea et le gouverna avec noblesse, toute sa vie, ainsi que la terre de Parthenay, dont j'ai parlé plus haut. Il gouverna vaillamment ses terres et fut un puissant seigneur. Mais depuis, par des mariages, on a dispersé une partie de l'héritage pour le donner à droite et à gauche. Ce qui n'est plus aux Lusignan, un autre le possède. Cependant, Dieu soit loué ! le lignage de Thierry possède encore la seigneurie de Parthenay, et ce sont de puissants seigneurs. Mélusine n'avait-elle pas dit, l'ancêtre de cette maison, que le lignage de Parthenay durerait longtemps ? Dieu veuille qu'il puisse durer et ne jamais prendre fin, car on y trouve de très bons chevaliers, nobles et gracieux, parmi les meilleurs guerriers. J'en dirai un mot avant de terminer ce livre. Ils ont été bons chevaliers de tout temps. Jamais ils n'ont trahi leur foi, que ce soit pour duc, comte ou roi. Il suffit de voir le bon chevalier qui me fit commencer ce livre, le bon seigneur de Parthenay, dont toute la vie fut vouée à l'honneur. Mais alors que j'écrivais ce livre et que j'en avais composé une grande partie, le bon chevalier plein d'honneur mourut. On ne peut rien contre la Mort, elle prend le faible et le fort. Il n'est homme qui lui échappe, qu'il soit roi, duc, comte ou pape. Tout doit passer entre ses mains. Tel est le tribut imposé aux humains : tous devront franchir ce pas et emprunter ce chemin, quelle que soit la distance qui les en sépare. Hélas ! elle est bien trop rapide, elle arrive si vite qu'on ne voit venir le jour ni l'heure. Quand elle s'approche d'une créature, elle vole, plus vive qu'une flèche, et frappe un homme sans dire un mot. Mon cœur soupire, rien que d'y penser, comme le cœur de tous les hommes. Chacun doit redouter sa main. Elle donne de grands coups qu'on a bien lieu de redouter. Si l'on pensait souvent à elle, on laisserait là tous les plaisirs pour penser à sauver son âme, l'homme aussi bien que la femme. Et si l'on pense bien à elle, on se gardera de faire le mal, tout comme l'a fait, j'en suis certain, monseigneur de Parthenay, Guillaume Larchevêque, bien digne de porter le nom d'un évêque. Car c'était un homme de bien qui se comporta noblement jusqu'à son dernier jour, qui fut magnifiquement édifiant. Il mourut le mardi précédant la Pentecôte, en l'an 1401, le bon chevalier plein de sagesse qui avait aidé bien des pauvres. Il ne put se défendre contre la mort et dut rendre son âme à Dieu, le dix-septième jour de mai. Il gît en terre à Parthenay, dans l'église de la Sainte-Croix. C'est là que gît le courtois chevalier, dans une noble sépulture. On lui fit des obsèques solennelles et honorables, car un grand seigneur doit être honoré après sa mort comme de son vivant. Le jour de sa mort fut précisément celui où l'on transporta à Paris le chef du glorieux roi Saint Louis, prince des Français, qui est maintenant parmi les saints du Paradis[65]. Je ne veux pas dire que mon noble seigneur mourut le jour précis et en l'an de l'Incarnation où l'on transporta le chef de ce corps glorieux : il était déjà mort depuis longtemps. Mais c'est le jour précis où la Sainte Eglise célèbre cette fête tous les ans. C'est au mois de mai que mourut ce chevalier plein d'honneur. Puisse le serviteur suivre son seigneur ! Puisse-t-il mériter la grâce de pouvoir le servir là-haut, au Ciel, dans le Paradis ! Mais je le quitte maintenant pour parler de son noble fils Jean, seigneur de Parthenay, qui sut alors faire son devoir. Il fit noblement célébrer les obsèques de son père (que Dieu veuille absoudre !). Il y avait des cierges en abondance, comme il se doit, et le fils manifestait un grand deuil. Mais il faut bien endurer les maux que l'on ne peut réparer. Ce n'est guère sage, à mon avis, de trop se laisser aller à la peine et à la tristesse, de trop s'abandonner au deuil. C'est être fou que de désespérer d'un malheur contre lequel les cris et les pleurs sont impuissants. Mener pareil deuil trop long-temps, ce n'est agir ni bien ni sagement. Mais reve-

65. Guillaume Larchevêque mourut le 17 mai 1401. La transla-tion du chef de Saint Louis de Saint-Denis à la Sainte Chapelle eut lieu le 17 mai 1306.

nons à notre propos, au nouvel héritier, Jean, seigneur de Parthenay et de Mathefelon, dont je viens de vous parler. Son cœur n'est ni dur ni félon, mais courtois et bienveillant. On le voit bien à son visage doux et gracieux, qui ne montre nulle arrogance. Il est plus doux qu'une jeune fille et ressemble bien à la dame de qui il descend[66]. On ne vit jamais en effet plus douce dame qu'elle : humble, courtoise, aimable, pleine de pitié et de charité, elle fit beaucoup de bien aux pauvres gens. Elle avait le cœur noble et droit, comme ceux de la maison de Dreux. Tous ceux de cette maison sont pitoyables aux nécessiteux, ils en ont relevé plus d'un, qu'ils ont fait passer de la pauvreté à la richesse. Et c'est leur noblesse, leur droiture, leur cœur pitoyable qui les pousse au secours des indigents. Le seigneur Jean aime se répandre en bienfaits. Il fera beaucoup de bien, j'en suis sûr ; il a déjà bien commencé. C'est ce qui convient aux membres du lignage royal, et il appartient à ce lignage, sans aucun doute, car les seigneurs de Dreux sont issus naguère de la maison de France[67]. Il est cousin du roi de France, et cette parenté lui fait honneur, car il n'y a pas plus noble que le roi de France sur toute la surface de la terre. C'est le plus noble roi du monde que le roi de France. Or le seigneur de Parthenay est son cousin de par sa mère. Et par son père, il est parent du roi de Chypre et d'Arménie et du noble lignage de la fée Mélusine, dont je viens de raconter l'histoire. Et il appartient en outre au lignage du roi de Navarre : tous deux sont de la même lignée, ils descendent de Mélusine[68]. Il y a aujourd'hui encore, en Navarre, des chevaliers preux et vifs, et bien des dames hautement prisées qui sont de ce même lignage et proclament partout haut et fort qu'ils descendent de la noble lignée de Lusignan, qui s'illustra partout et s'étendit jusqu'en Irlande et jus-

66. Jeanne de Mathefelon.
67. Jeanne de Mathefelon, épouse de Guillaume Larchevêque, appartient à la maison de Dreux, qui commence avec Robert de Dreux, fils de Louis VI le Gros.
68. Par les comtes d'Urgel (Roach, p. 46).

qu'à mainte autre contrée, comme je vous l'ai raconté[69]. On n'a jamais entendu (et on n'est pas près de le faire !) histoire aussi merveilleuse que celle des fils de Lusignan. Ne croyez pas que je vous mente ! En vérité, on dirait un songe, qu'on ne voudrait jamais croire, si l'on n'avait pas vu la chronique. Mais la chronique nous la raconte dans les termes mêmes de mon livre. Dieu donne joie et honneur au seigneur de Mathefelon, qui est seigneur de la maison de Parthenay, pour le bien de cette maison ! Ce noble et gracieux chevalier, plus que tous digne de respect, a bien montré, la bonne créature, l'excellence de sa nature, en refusant d'abandonner ce livre que son père (Dieu ait son âme !) avait fait commencer. Il est bien digne de louange, car aujourd'hui (Dieu me protège !), on en trouverait peu de pareils. Nul ne saurait le haïr, et je prie Dieu de le parfaire encore, après ce beau commencement. Il faudrait être bien chargé de péchés pour lui vouloir du mal. Il aime tout le monde, et quand il voit un homme de bien, il ne lui refuse rien. J'ai tant entendu chanter ses louanges que je peux bien le nommer Alexandre. J'en dirais plus encore, ma foi, si je ne craignais d'être traité de flatteur, car il est encore en vie. Il ne faut pas, à mon avis, louer les gens de leur vivant : leurs œuvres s'en chargent assez. Mais pour les trépassés, on peut bien rappeler leurs actes, puisqu'ils n'agiront plus jamais. Il faut parler d'eux, raconter leurs hauts faits. C'est ce que l'on fera pour mon seigneur après sa mort, s'il plaît à Dieu. Beaucoup parleront encore de sa valeur et de sa gloire, de ses actes et de sa conduite, que je tiens pour la plus noble qui soit. Et l'on peut bien le tenir pour noble, car il est de haute naissance : j'ai trouvé parmi ses ancêtres des rois, des ducs et des marquis. C'est un homme de haute origine et de très noble lignage. Et il a pris pour épouse une dame infiniment gracieuse, humble, courtoise et bien apprise, qui ne songe qu'à faire le bien et dont on ne dit que du bien, je crois. Ils

69. Richard de Clare, comte de Pembroke, fut en 1176 le vainqueur de l'Irlande. Sur les Pembroke et les Lusignan, voir note 52.

sont bien assortis l'un à l'autre et s'aiment d'un amour immense : Dieu leur conserve ce bonheur ! La dame est de Périgord, fille du comte qui vient de mourir, et elle peut s'en vanter, car c'est une noble lignée, renommée et si ancienne que la mémoire en remonte jusqu'au temps de Charlemagne. Quand Charlemagne conquit ce pays et ce comté, avec tout le pays de Guyenne, il donna le noble et ancien comté à l'un de ses parents, et ce fut là un beau don. C'était un parent très proche, je crois, un cousin germain, qui gouverna bien son comté, à ce que l'on m'a dit. Et depuis jamais le noble comté n'est sorti de la famille par femme ou par mariage. L'héritage est toujours allé par bonheur à un héritier mâle de la maison de Périgord. C'est de cette maison qu'est venue Brunissent, la dame gracieuse et sage plus que cent autres, douce et bien apprise, modèle, pour les autres dames, de sagesse, d'honneur, de courtoisie et de politesse. Il ne lui manque nulle qualité que l'on attende chez une dame : on les trouve toutes chez cette dame de haute renommée, tant elle est douce, courtoise et sage. C'est un heureux mariage que le sien et celui de mon bon seigneur, et je prie Dieu de leur donner bientôt une lignée qui jamais ne s'éteigne, car le seigneur et la loyale dame sont de la lignée de France. Quel malheur si la lignée s'éteignait et s'ils n'avaient pas un héritier pour maintenir le noble lignage qui est issu de Mélusine, cette maison de Parthenay dont je vous ai longuement conté les origines !

J'ai maintenant tout dit de ce que j'ai trouvé dans mon texte. J'en dirais plus, si je trouvais autre chose dans mes sources. Mais je ne trouve plus rien, ni par écrit, ni dans la mémoire de ceux à qui je parle, rien de plus que ce que je vous ai conté. Et n'ayant rien à ajouter, je vais maintenant me reposer.

Voici venu le moment de jeter l'ancre, d'abaisser les cordes et la voile. Dieu merci ! me voici au port. J'ai traversé le gouffre et j'ai franchi les flots, tout au long de mon voyage. Louée en soit la Trinité, qui m'a

permis de finir ce récit ! Grâces lui soient rendues de
m'avoir laissé venir à bout de ce livre, ou de ce roman.
Et si quelqu'un me demandait :

— Votre roman, comment l'appelle-t-on ?

— On l'appelle, seigneur, le Roman de Parthenay,
ou le Roman de Lusignan, comme vous voudrez :
nommez-le comme il vous plaira !

Coudrette va maintenant se taire, mais après avoir
fait son oraison, qu'il veut maintenant, en bonne justice, mettre sous forme de litanie pour toute la noble
lignée de Parthenay. Et quand elle sera terminée et
composée à la façon d'un lai, dont on prise souvent la
forme, alors l'ouvrage sera achevé, et Coudrette
pourra se taire.

O glorieuse Trinité,
Divinité trop grande pour l'esprit humain,
Trois personnes qui n'en font qu'une,
Et un seul Dieu !
Souveraine majesté,
Toi qui fis l'hiver et l'été,
Tout ce qui est et a été,
Par ta prudence !
Tu connais tout ce que le cœur pense,
Tu vois tout ce qui se passe,
Tu connais le secret des cœurs,
C'est la vérité.
On te doit toute obéissance,
On te doit, avec diligence,
Servir et défendre
Par amour.
Je t'en prie humblement :
Veuille avoir pitié
Et épargner
Les héros de mon récit,
Et les secourir dans l'adversité,
Les héritiers de Parthenay !

Glorieuse Vierge pucelle,
Mère, fille et servante de Dieu,

Toi qui allaitas
Le Fils de Dieu à ta mamelle,
Et sans avoir connu l'œuvre de chair,
Le portas en ton sein !
Toi qui intercèdes près de Dieu,
Toi qui secourus Théophile[70],
Secours cette lignée
Si noble et belle,
Celle de Parthenay, près de La Rochelle !
Ce sera justice !

Saint Michel, ange et archange,
Ne détourne pas tes regards,
Je t'en implore !
Sors-les des marécages du péché,
Et mène-les dans les granges
Et les greniers du Ciel !
N'est-ce pas ton office
Que de guider les justes,
Qu'ils soient vêtus de lin ou de laine ?
Je te prie de ne pas oublier
De leur venir en aide.

Saint Jean, toi qui désignas du doigt,
C'est ma ferme croyance,
L'agneau de Dieu très précieux !
Vous, patriarches glorieux,
Ne les oubliez pas,
Et je ne m'oublierai pas non plus :
Je serais trop malheureux !
Qu'il vous plaise, pour eux et pour moi,
De faire notre paix avec le Souverain Roi !

Saint Pierre, saint Paul, saint André,
Apôtres, amis de Dieu,
Par courtoisie,
N'oubliez pas cette lignée
Dont est sortie une noblesse

70. La Vierge arracha au diable le pacte par lequel Théophile lui avait vendu son âme : voir Rutebeuf, *Le Miracle de Théophile*, éd. J. Dufournet, Coll. Garnier-Flammarion, 1987.

Qui s'est étendue en mainte terre !
Car en maint lieu
Ils ont conquis maint noble fief
Par leur noble chevalerie.

Saint Etienne et saint Vincent,
Saint Laurent, et vous, saint Clément,
Et saint Denis,
Qui êtes les amis de Dieu,
Vous avez livré votre corps
Aux pires tourments !
Et vous, tous les martyrs,
Qui régnez à tout jamais
Au Paradis
Pour vos beaux faits et vos beaux dits,
Faites que nous soyons admis
A la fin, au Ciel,
Là où règnent le Père et le Fils,
et le Saint Esprit,
A tout jamais !

Saint Sylvestre, saint Augustin,
Saint Martin, saint Maur, saint Séverin,
Saint Nicolas,
Et tous les confesseurs,
Je vous en supplie, n'oubliez pas
Ceux dont j'ai parlé, ni moi, hélas !
Mais sortez-nous des lacs
Du félon Ennemi
Qui vient le matin et à midi[71],
Et plus souvent encore,
Pour nous précipiter dans les abîmes !
Laissez-nous goûter le Ciel,
Après ce monde !

Sainte Marie Madeleine,
Je vous implore de toute ma voix,
D'un cœur pur et loyal !

71. *Psaumes* 91, 5-6 : « Tu ne craindras ni les terreurs de la nuit, / ni la flèche qui vole de jour, / ni la peste qui marche dans la ténèbre, / ni le fléau qui dévaste à midi (*daemonium meridianum*). »

Sainte Agnès, sainte Catherine,
Acceptez de prendre la peine
De prier Dieu qu'il nous emmène
Là-haut, dans la joie divine !

Amis de Dieu, saints et saintes,
Je vous prie humblement, les mains jointes,
Que vous fassiez
Que nos péchés soient effacés
Et que nous puissions approcher de Dieu,
Que nous ne sentions pas les piqûres de l'Enfer,
Mais que nous soyons hébergés
Et logés avec vous,
Au Ciel, où il n'y a pas de plaintes !

Doux Dieu, sois-nous miséricordieux !
Ne veuille faire,
Contre ceux dont j'ai parlé,
Une chose qui tourne à leur malheur,
Mais par ta puissance miséricordieuse,
Sauve-nous des lacs de notre Adversaire,
Qui a tué et détruit tant d'hommes !
Laisse-nous accéder au salut !

Doux Dieu, Doux Père charitable,
Protège-nous des lacs du diable
Et, en un mot,
Garde-nous toujours tels
Que tu ne nous tournes jamais le dos !
Sois vers nous
Plein d'amour et de pitié,
Pour que nous connaissions à jamais
La joie et le vrai repos du Ciel !

Doux Dieu, qui as tout à juger,
Je T'implore d'un cœur loyal :
Fais-nous marcher sur le droit chemin,
Celui du salut,
Fais-nous regretter et pleurer nos péchés,
Pour que nous recevions en partage,
Après notre dernier jour,
La félicité éternelle ! Amen.

DOSSIER

LES ANCÊTRES DE MÉLUSINE

1) Gautier Map, *De Nugis Curialium* (1181-1193)

Henno aux grandes dents

Henno aux grandes dents, ainsi appelé à cause de la grandeur de ses dents[1], trouva une très belle jeune fille à l'ombre d'un bois, au milieu du jour, au bord du rivage normand. Elle était assise seule, ornée de soieries royales, et pleurait silencieusement à la façon d'une suppliante ; c'était la plus belle des créatures et même les larmes lui allaient bien. Le jeune homme est enflammé par le feu qui naît en lui. Il s'étonne qu'un trésor si précieux soit laissé sans garde, et, comme une étoile tombée du ciel, se plaigne d'être si près de la terre. Il regarde autour de lui, car il craint de voir surgir de cachettes des hommes embusqués. N'en trouvant pas, il s'agenouille devant elle dans l'attitude du suppliant et lui parle avec respect :

« O la plus douce et la plus éclatante parure de la terre, que la sérénité si désirable de ton visage appartienne à notre condition humaine, ou que la divinité ait voulu se montrer sur terre à ses adorateurs, ornée de ces fleurs, vêtue de cette lumière, je me réjouis,

1. Ce personnage préfigure curieusement le sixième fils de Mélusine, Geoffroy la Grand Dent.

et il convient que tu te réjouisses de ce qu'il te soit arrivé de tomber en mon pouvoir. Hélas pour moi ! car j'ai été prédestiné à te rendre hommage. Gloire à toi, parce que par un bon pressentiment tu t'es égarée à l'endroit même où on désirait le plus te recevoir ! »

Elle lui répondit de façon innocente et douce comme une colombe, au point que l'on croirait entendre un ange prononcer les paroles capables de tromper à souhait n'importe quel ange : « Aimable fleur des jeunes gens, lumière désirable des hommes, ce n'est pas une providence spontanée qui m'a apportée ici, mais le hasard. Mon bateau, poussé sur ces rivages par la violence d'une tempête, m'a apportée ici malgré moi avec mon père, alors que je devais être donnée en mariage au roi des Français ; comme j'avais quitté le bateau, accompagnée seulement par cette jeune fille qui est à côté de vous (et voici qu'une jeune fille était auprès de lui), une brise favorable succéda à la tourmente, et les marins s'en allèrent à pleines voiles, emportant mon père. Mais je sais que lorsqu'ils se seront rendu compte que je suis absente, ils reviendront ici en pleurant. Cependant pour éviter que les loups ou les hommes méchants ne me dévorent ou ne mettent la main sur moi, si tu me donnes la preuve de ton innocence, en ton nom et au nom de tes hommes, je resterai pour le moment avec toi ; car il est plus sûr et plus salutaire que je me confie à toi jusqu'au retour du bateau. »

Henno, qui l'écoute avec attention et comprend ses désirs, lui accorde avec empressement tout ce qu'elle demande, et c'est avec la plus grande jubilation qu'il ramène avec lui le trésor qu'il a trouvé, apportant autant de joie qu'il peut à chacune des deux jeunes filles. Il les introduit chez lui et finalement épouse ce noble fléau, et la confie à la garde de sa mère. Elle lui donne une très belle descendance. La mère est fréquemment à l'église, elle y est plus fréquemment encore. La mère est le soutien des orphelins, des veuves, des affamés ; elle l'est plus encore. Pour enfermer sa méchanceté dans les bornes qu'elle souhaite, elle accomplit aux yeux des hommes toutes ses tâches dans la joie, si l'on excepte qu'elle évitait l'aspersion d'eau bénite et prévenait le moment de la consécration du corps et du sang du Christ par une fuite prudente, prétextant la foule ou une affaire. La mère d'Henno remarque cela et craignant le trouble où la plonge son juste soupçon, elle se met à épier ce qu'il en est avec une application très étroite. Elle sait que le dimanche, elle entre dans l'église après l'aspersion d'eau bénite, et qu'elle fuit la consécration ; pour en connaître la cause, elle fait un petit trou bien caché pour regarder dans sa chambre, et lui tend des pièges secrets. Elle la voit donc de très grand matin, le dimanche, après le départ d'Henno pour l'église, entrer dans son bain et, de la très belle femme qu'elle est, devenir un dragon, puis peu de temps après, sortir du bain et sauter sur un tapis neuf que la jeune fille lui a étalé sur le sol, et le déchirer avec les dents en tout petits morceaux, avant de retrouver sa forme propre, et ensuite servir sa servante de la même façon en tous points. La mère révèle à son fils ce qu'elle a vu. Alors, se faisant aider par un prêtre, ils les saisissent sans qu'elles s'y attendent et les aspergent d'eau bénite. Alors d'un brusque saut elles traversent le toit et, avec un grand gémissement, elles laissent la maison hospitalière qu'elles ont longtemps habitée. Ne vous étonnez pas si le Seigneur monte au ciel avec son corps, puisqu'il a permis cette ascension à ces mauvaises créatures, alors qu'il aurait même fallu les tirer malgré elles vers le bas. Il reste encore aujourd'hui de nombreux descendants de cette femme.

(M. Pérez, *Contes de courtisans*, traduction du *De Nugis Curialium* de Gautier Map, Publications du Centre d'Etudes Médiévales de l'Université de Lille III, s.d., pp. 210-211). On trouvera le texte original dans *Walteri Map De Nugis Curialium*, éd. M.R. James, Oxford, 1914, rééd. 1983, IV 9, p. 174.

Wastinus Wastiniauc

Les Gallois nous rapportent encore non pas un miracle mais une merveille[2]. Ils disent que Wastin Wastiniauc resta au bord du lac de Brekeniauc, large de deux milles, qu'il vit pendant trois nuits éclairées de lune des chœurs de femmes dans l'un de ses champs d'avoine, et qu'il les suivit jusqu'à ce qu'elles s'engloutissent dans l'eau du lac, mais qu'il en retint tout de même une la quatrième nuit. Le ravisseur de cette femme racontait aussi que chaque nuit, après qu'elles avaient plongé, il les avait entendues murmurer sous l'eau et dire : « S'il avait fait cela, il aurait capturé l'une de nous », et qu'il avait appris d'elles-mêmes comment attraper celle-là, qui consentit à l'épouser, et dont les premiers mots à son mari furent :

« C'est volontiers que je te servirai, et je t'obéirai avec une dévotion complète jusqu'au jour où, voulant te précipiter jusqu'aux clameurs qu'on entend de l'autre côté du Léné, tu me frapperas d'un coup de bride. »

Le Léné est une rivière voisine du lac. Et c'est ce qui arriva. Après lui avoir donné de nombreux enfants, elle fut frappée par lui d'un coup de bride, et lorsqu'il revint, il s'aperçut qu'elle était en fuite avec ses enfants ; il la poursuivit, mais ne put lui arracher qu'un de ses fils, nommé Triunein Nagelauc. [...]

(Ce fils entre au service du roi de Galles du nord, dont tous les hommes sont massacrés au cours d'une bataille.)

On dit cependant que Triunein fut sauvé par sa mère et qu'il vit avec elle dans ce lac qu'on a mentionné plus haut. Mais je crois que c'est un mensonge et qu'on a pu inventer une fiction de ce genre sur un homme qu'on n'avait pas retrouvé[3].

(Contes de courtisans, pp. 96-99 ; *De Nugis*, II 11, pp. 72-75)

2. La distinction ici établie entre miracle (*miraculum*) et merveille (*portentum*) recouvre l'opposition entre le merveilleux chrétien et le merveilleux féerique : voir J. Le Goff, « Le merveilleux dans l'Occident médiéval », dans *L'Imaginaire médiéval*, Paris, 1985, pp. 17-39.
3. Sur cette légende, voir L. Harf, « Une Mélusine galloise, la Dame du lac de Brecknock », *Mélanges J. Lods*, Paris, 1978, pp. 323-338.

Edric le sauvage

Semblable à cette histoire est celle d'Edric Wilde (c'est-à-dire le sauvage), qu'on appelait ainsi à cause de son agilité physique et de l'enjouement de ses paroles et de ses actes, un homme d'une grande valeur, seigneur de Ledbury dans le nord. Un jour où il revenait tardivement de la chasse à travers la forêt, il perdit son chemin et erra jusqu'au milieu de la nuit, accompagné seulement d'un page ; ses pas le conduisirent vers une grande maison à l'orée du bois, une maison semblable aux buvettes que les Anglais tiennent dans chaque diocèse et qu'on appelle en anglais *guildhes*. Après s'en être approché, il y vit de la lumière ; alors il regarda à l'intérieur et vit un grand chœur de nombreuses nobles dames. Elles étaient très belles à voir, vêtues avec soin et élégance d'un charmant vêtement fait de lin seulement, plus grandes et plus élancées que nos femmes. Cependant le chevalier dont on a parlé en remarqua une parmi les autres, qui se distinguait de toutes par sa beauté et son visage, et qui était plus désirable que tous les délices royaux. Elles tournaient avec un mouvement léger et des gestes agréables et, de leurs voix contenues, faisaient entendre un son faible à l'harmonie admirable ; mais il ne pouvait comprendre leurs paroles.

A la vue de cette femme, le chevalier reçoit une blessure au cœur et supporte avec peine les brûlures faites par l'arc de Cupidon ; il est tout entier embrasé, il s'en va tout entier dans les flammes, et l'ardeur de ce mal très beau et de ce péril doré lui donne du courage. Il avait entendu parler des erreurs des païens, de ces bandes nocturnes de démons dont la vue est mortelle, de Dictynne, des assemblées de Dryades et de leurs troupes auxiliaires, et il connaissait la vengeance des divinités offensées. Il savait qu'elles infligent des châtiments soudains à ceux qui les ont surprises du regard, il savait combien elles préservent leur pureté et dans quel secret elles vivent, inconnues et dans des lieux retirés, combien elles détestent ceux qui essaient de découvrir leurs assemblées pour les dévoiler, ceux qui font des recherches pour les révéler ; il savait avec quel soin elles s'enferment dans la crainte que soit méprisé ce qui a été vu ; il avait entendu parler de ces vengeances et des exemples d'hommes châtiés. Mais parce que c'est à bon droit qu'on représente Cupidon aveugle, il oublie tout et ne pense pas qu'il s'agit d'un être fantastique, il n'imagine pas de vengeance, et, parce qu'il n'est pas éclairé, il se blesse sans y penser. Il fait le tour de la maison, trouve l'entrée, se précipite à l'intérieur et s'empare de celle qui s'est emparée de lui, est aussitôt empoigné par les autres et, arrêté quelque temps par un combat très violent, il ne parvient à l'emporter qu'en usant de toutes ses forces et de toutes celles de son page, et ce n'est pas tout à fait sans dommage, puisqu'il est blessé aux pieds et aux jambes par tous les coups d'ongles et de dents que peuvent donner des femmes. Il l'emmena avec lui et usa d'elle comme il le voulait pendant trois jours et trois nuits, sans pouvoir cependant lui arracher une parole : elle supporta dans une acceptation tranquille l'amour et le plaisir du chevalier. Le quatrième jour pourtant, elle lui dit ces mots :

« Que le Ciel te protège, mon doux amour ! Et il te protégera, et tu te réjouiras de la prospérité de ta personne et de tes biens, jusqu'à ce que tu me fasses des reproches sur mes sœurs auxquelles tu m'as enlevée, ou sur le lieu ou le bois d'où tu m'as emportée, ou sur quoi que ce soit concernant cet endroit. A partir de ce jour-là, tu perdras le bonheur, quand tu ne m'auras plus, tu seras abattu par de fréquents malheurs et, n'y tenant plus, tu préviendras le jour de ta mort. »

Il promet, avec toutes les garanties possibles, qu'il sera toujours constant et fidèle dans son amour. Il invite alors les nobles de son voisinage et ceux qui habitent loin et, devant la foule assemblée, il l'unit à lui par un mariage solennel. A cette époque régnait Guillaume le Bâtard, alors nouveau roi d'Angleterre[4], qui, entendant parler de cette merveille et désirant éprouver et connaître pleinement sa réalité, invita les

4. Guillaume le Conquérant (1027-1087) devint roi d'Angleterre en 1066, après la bataille d'Hastings.

deux époux à venir ensemble à Londres ; et de nombreux témoins vinrent avec eux, apportant aussi le témoignage de beaucoup d'autres qui ne pouvaient être présents. Mais la beauté de la femme – dont on n'avait jamais vu ni entendu raconter l'équivalent – était la plus grande preuve de sa nature féerique, et c'est au milieu de la stupéfaction générale que chacun fut renvoyé dans son foyer.

Il arriva par la suite, après de très nombreuses années, qu'Edric, revenu de la chasse vers la troisième heure de la nuit, chercha sa femme et ne la trouva pas. Alors il l'appela et la fit appeler, et comme elle mit du temps à venir, il lui dit en la regardant avec colère :

« Est-ce donc par tes sœurs que tu as été retenue si longtemps ? »

Mais c'est à l'air qu'il fit le reste de ses reproches, car elle disparut au nom de ses sœurs. Alors le jeune homme se repentit de son transport si énorme et si condamnable, se rendit à l'endroit où il l'avait enlevée ; mais aucune de ses larmes, aucune de ses plaintes ne purent la faire revenir. Il criait jour et nuit, mais c'était agir avec folie, car sa vie s'épuisa là dans une douleur continuelle.

(*Contes de courtisans*, pp. 99-101 ; *De Nugis* II 12, pp. 75-77)

Le fils de la fée est, à un âge avancé, frappé de paralysie et guéri par une nuit d'incubation auprès des reliques de saint Ethelbert à Hereford, comme s'il devait expier son ascendance surnaturelle.

La mystification féerique de Gerbert[5]

Le jeune Gerbert, d'origine bourguignonne, s'est acquis à Reims une grande réputation d'érudition. Mais épris de la fille du prévôt de Reims, il néglige ses affaires et perd toute sa fortune.

5. Le héros du récit est Gerbert d'Aurillac, le pape Sylvestre II (999-1003), le pape de l'an 1000, dont de nombreuses légendes, basées sur son érudition et ses connaissances astronomiques, font un sorcier : voir M. Oldoni, « Gerberto e la sua storia », *Studi medievali*, 3ᵉ série, 1977, pp. 629-702 et 1980, pp. 493-622.

Un jour, Gerbert sort de la cité à midi, comme pour se promener ; en réalité, il était torturé par la faim à en pleurer et, complètement hors de lui, il s'éloigne peu à peu jusqu'à un bois. En arrivant dans une clairière, il y trouve une femme d'une beauté inouïe, assise sur un très grand tapis de soie, avec un grand tas de pièces d'argent posé devant elle. Alors il se recule furtivement pour s'enfuir, craignant d'être victime d'un fantasme ou d'une imposture. Mais elle, l'appelant par son nom, lui ordonne d'avoir confiance et, comme si elle avait pitié de lui, lui promet l'argent qu'elle a là et une abondance de richesses égale à son désir, pourvu qu'il dédaigne la fille du prévôt qui l'avait méprisé si insolemment et veuille s'attacher à elle, non comme à une maîtresse ou à une dame supérieure, mais comme à une égale et à une amie. Elle ajoute :

« Je m'appelle Meridiana ; issue d'une race très noble, j'ai toujours employé le plus grand soin à découvrir un homme semblable à moi en tous points, que je jugerais digne de cueillir les premières fleurs de ma virginité, et je n'ai trouvé personne qui ne fût sur quelque point indigne de moi, jusqu'à toi. Aussi, parce que tu me plais en tous points, ne tarde pas à accepter tout le bonheur que le Très Haut, dont je suis comme toi une créature, fait pleuvoir sur toi du haut du ciel. Car, à moins que tu ne m'arraches des colères justifiées, tu peux jouir de toute l'opulence de la fortune et de la situation. [...] Mais tu crains peut-être d'être victime d'une illusion, tu essaies de m'éviter pour échapper aux subtilités d'un démon succube. Tu te trompes. Ceux que tu crains se gardent de la même façon des tromperies des hommes et ne se fient pas à quelqu'un sans en avoir reçu une preuve de loyauté ou une autre garantie. [...] »

Telles furent les paroles de Meridiana, qui en ajouta beaucoup d'autres semblables. Mais il n'en était pas besoin : avide de ce qu'il avait perdu, Gerbert l'interrompt vivement, presque au milieu de ses paroles, pour accepter, car il est anxieux d'échapper par cette abondance à la prison de la pauvreté, et pressé d'entrer dans le péril très doux de Vénus. Aussi promet-il tout en la suppliant, offre-t-il sa foi et, sans qu'elle l'ait demandé, ajoute-t-il aux serments des baisers, sans porter cependant d'autre atteinte à sa pudeur. Gerbert revient chargé, mais il prétend devant ses créanciers qu'il a reçu des messagers et, pour ne pas paraître avoir trouvé des trésors, ne se dégage que peu à peu de ses dettes. Plus tard, libéré désormais et recevant en abondance des présents de Meridiana, il enrichit son mobilier, accroît le nombre de ses serviteurs, se fortifie en mangeant et en buvant, au point que sa richesse devient à Reims semblable à la gloire de Salomon à Jérusalem, et la joie tranquille de sa couche n'est pas moindre, si l'on excepte que Salomon fut l'amant de nombreuses femmes, et qu'il est celui d'une seule. Chaque nuit il apprend d'elle, qui possède la science du passé, ce qu'il faut faire chaque jour[6]. [...]

Mais Gerbert se laisse à nouveau séduire par la fille du prévôt, avant d'implorer le pardon de Meridiana, qui exige en garantie son hommage.

Entre-temps, il arrive que l'archevêque de Reims meurt et que Gerbert est placé sur le trône épiscopal à cause de ses mérites et de sa renommée. Par la suite même, alors que, remplissant les devoirs de la charge qu'il avait reçue, il séjournait à Rome, il est nommé cardinal par le pape, et archevêque de Ravenne, et quelque temps après, le pape étant mort, il gravit les degrés de son trône par une élection publique. Tout le temps que dura son sacerdoce, soit par crainte, soit par respect, il ne goûtait pas au sacrement du corps et du sang du Seigneur et, par la ruse la plus prudente, il simulait l'acte qui n'avait pas lieu. Or Meridiana lui

6. La science du passé est l'apanage des démons, celle de l'avenir appartient à Dieu seul. Ainsi Merlin, fils du diable, naît avec la science du passé. « Cet enfant eut, de par le diable, la connaissance du passé, mais ce pouvoir qu'il eut de surcroît de connaître l'avenir, il le reçut de Notre Seigneur, qui voulut ainsi contrebalancer le pouvoir du diable » (*Merlin*, trad. E. Baumgartner, dans *La Légende arthurienne*, Paris, Coll. Bouquins, 1989, p. 331).

apparut la dernière année de son pontificat, lui signi-
fiant que sa vie serait sauve jusqu'à ce qu'il eût célébré
une messe à Jérusalem. Il pensait pouvoir éviter cela
comme il le voudrait en restant à Rome. Or il lui
arriva de célébrer une messe là où, dit-on, fut déposée
la planche que Pilate avait fixée au sommet de la croix
du Seigneur, et qui portait comme inscription l'inti-
tulé de sa passion : cette église, jusqu'à aujourd'hui,
porte le nom de Jérusalem. Et voici qu'en face de lui,
il vit Meridiana, qui applaudissait comme pour se
réjouir de sa venue prochaine auprès d'elle. Il la vit et
comprit et, s'étant informé du nom de l'endroit, il
convoqua tous les cardinaux, le clergé et le peuple, se
confessa publiquement, sans taire aucune tache de sa
vie. [...]. Gerbert consacra sincèrement le peu de
temps qu'il lui restait à vivre à une pénitence assidue
et très vive et mourut après une confession sincère.

(*Contes de courtisans*, pp. 212-219, *De Nugis* IV 11,
pp. 176-183)

Raymond de Château-Rousset

Je sais une chose dont on m'a fait jadis le véridique récit : dans la province d'Aix, à quelques milles d'Aix, il y a le château de Rousset, qui surplombe le val de Trets. Un jour, le seigneur de ce château, nommé Raimond, chevauchait seul le long de la rivière le Lar ; à l'improviste, survint une dame d'une beauté sans pareille, montée sur palefroi richement harnaché, vêtue de somptueux atours. Saluée par le chevalier, elle lui rendit son salut en l'appelant par son nom ; s'entendant nommer par une inconnue, il reste stupéfait mais se met néanmoins à lui faire galamment la cour, selon l'usage, pour la convaincre de répondre à ses désirs. Elle lui rétorque que cela n'est pas permis hors des liens du mariage, mais que s'il veut l'épouser, il pourra s'unir à elle comme il le souhaite.

Que dire de plus ? Le chevalier accepte les conditions imposant le mariage ; elle ajoute qu'en vivant sous le même toit qu'elle, il jouira de la plus grande prospérité temporelle, à condition qu'il ne la voie pas nue ; mais à peine l'aura-t-il vue nue, il sera dépouillé de toute prospérité et pourra à peine conserver, le prévient-elle, une vie misérable. Lui reste indécis, se demandant s'il doit craindre ou choisir de mourir ; enfin il consent au mariage et accepte la condition. Plein de flamme, tout brûlant de désir, il pense que toute condition est facile à respecter, pourvu qu'il puisse s'unir à elle selon ses vœux. Les accordailles se font, ils contractent mariage. Connaissant un rapide accroissement de prospérité, le chevalier fut comblé : faveur et grâces, richesses matérielles et prouesse physique, il en arriva à surpasser ses pairs et à ne le céder qu'à peu de princes et de grands ; aimable et affable avec tous, il mêlait à sa bonté une générosité nuancée de discernement et de courtoisie. Des fils et des filles de la plus grande beauté lui naquirent.

De longues années s'écoulèrent. Un jour, la dame prenait son bain dans sa chambre, selon l'usage. Revenant de la chasse, le chevalier Raimond rapporte à la dame, en guise de présents, perdrix et autre gibier. Pendant que le repas se prépare, mû par je ne sais quelle impulsion ou quelle inspiration, le chevalier se met en tête de voir la dame nue dans son bain, décidant en lui-même que si le fait de braver l'interdit fixé par ses paroles et de voir sa nudité avait pu présenter quelque danger, celui-ci avait disparu après tant d'années et une si longue vie commune. Le mari en fait part à l'épouse, qui objecte à cela la longue prospérité due au respect de la condition, et le menace du malheur qui s'ensuivra. Se jetant enfin dans l'abîme tête la première, le chevalier ne se laisse pas retenir par la menace de la peine ni fléchir par les prières, en pensant à son intérêt et en renonçant à son projet plein de folie :

« La colère et la crainte l'agitent à la fois,
Il redoute l'issue fatale et s'en veut de la redouter[7]. »

J'en finis : arrachant le rideau qui masquait le bain, le chevalier s'approcha pour voir sa femme nue, et aussitôt la dame, transformée en serpent, mit la tête

7. Lucain, *Pharsale* X, 443-444.

sous l'eau du bain et disparut ; elle ne fut plus jamais vue ni entendue, sauf parfois la nuit, quand elle venait rendre visite à ses petits enfants : les nourrices l'entendaient, mais ne purent jamais la voir. Le chevalier, qui avait perdu la plus grande part de sa prospérité et de sa faveur, donna par la suite une fille de cette dame en mariage à l'un de nos parents, appartenant à la noblesse de Provence : sa grâce la faisait remarquer au plus haut point parmi les dames de son âge et de sa condition, et son héritage est parvenu jusqu'à nous.

(Gervais de Tilbury, *Le Livre des merveilles*, traduction A. Duchesne, Paris, Belles-Lettres, 1992, pp. 148-150 ; *Otia Imperialia*, éd. F. Liebrecht, Hanovre, 1856, I 15, pp. 4-6)

La dame du château d'Espervier

Il y avait, aux confins du royaume d'Arles, dans l'évêché de Valence, un château nommé Espervier[8]. La dame de ce château avait l'habitude bien enracinée de quitter l'église pendant la célébration de la messe, aussitôt après l'Evangile : elle ne pouvait en effet supporter d'assister à la consécration du corps du Seigneur[9]. Son mari, le seigneur du château, l'avait remarqué pendant de longues années, sans trouver, malgré ses recherches soigneuses, la cause de ce départ anticipé ; aussi, un jour de fête solennelle, au moment où la dame s'en allait à la fin de l'Evangile, elle fut retenue de force, malgré sa résistance, par son mari et ses gens : dès que le prêtre prononça les paroles de consécration, la dame s'envola, enlevée par

8. Tout comme Henno aux grandes dents préfigurait Geoffroy la Grand Dent, ce château d'Espervier semble annoncer le château d'Arménie où Mélior garde l'épervier, château déjà évoqué, avant Jean d'Arras et Coudrette, dans les *Voyages de Mandeville*.
9. Tout comme Gerbert, qui se dérobe au rituel de la consécration, la dame d'Espervier et la femme d'Henno aux grandes dents s'excluent de la présence divine symbolisée par le sacrifice eucharistique.

un esprit diabolique, en emportant avec elle une partie
de la chapelle, qui s'écroula. Elle ne fut plus jamais
revue dans le pays, mais la partie de la tour qui joux-
tait la chapelle est encore debout, pour témoigner des
faits.

(*Le Livre des merveilles*, p. 68 ; *Otia Imperialia*, III
57)

3) Geoffroy d'Auxerre, *Super Apocalypsim* (1187-1194)

Une Mélusine sicilienne

Je connais un prêtre qui exerce la fonction de doyen depuis de nombreuses années, et dont le témoignage est d'une grande autorité aux yeux de ses voisins et de ses amis. Il a suivi la sœur du duc de Bourgogne, mariée jadis au glorieux roi de Sicile, Roger, et a habité un certain temps ce royaume : c'est là qu'il a appris avec certitude, à ce qu'il affirme, cette histoire qu'il continue à raconter de nos jours.

Un jeune homme, vigoureux et bon nageur, se baignait dans la mer au crépuscule et à la clarté de la lune, s'exerçant à la nage avec ses amis. Entendant tout près de lui le bruit d'un corps qui s'agitait dans les flots, il crut que l'un de ses compagnons voulait l'attaquer et le plonger sous l'eau, comme on le fait souvent en nageant, pour plaisanter. Robuste et vif, il décida de prendre les devants et de se précipiter sur lui, mais avec la tête de l'assaillant, il saisit une chevelure de femme. Tenant alors ce qu'il prenait pour une femme, il l'entraîna à son gré dans les flots et tira jusqu'au rivage la femme, qui le suivait d'elle-même. Il lui adresssa la parole et lui demanda qui elle était, mais ne put tirer d'elle le moindre mot. Néanmoins il la couvrit de son manteau et la conduisit chez lui, où il demanda à sa mère de la vêtir convenablement. En toutes occasions, elle restait assise, silencieuse, à leurs côtés, pleine de gratitude et d'empressement. Elle mangeait et buvait avec eux, et en toute chose se montrait presque aussi à l'aise que si elle s'était trouvée parmi des compatriotes, des parents, des amis. Plusieurs personnes l'interrogèrent et elle répondait par signes, de façon satisfaisante, à toutes les questions, mais jamais elle ne donna la moindre indication sur sa famille, sa patrie, la raison de sa venue. Quand on lui demanda si elle croyait en Dieu et si elle était chrétienne, elle inclina énergiquement la tête en guise d'affirmation[10]. Quand on lui demanda si elle voulait épouser le jeune homme, elle manifesta fermement son consentement, en hochant la tête avec joie et en lui tendant les mains. Bref, en quelques jours, il plia sa mère à son désir et persuada ses amis, on fit venir le prêtre et l'on conclut le mariage sans dot, avec un consentement verbal du marié et un signe d'acquiescement de la mariée. Puis l'on se rendit à l'église, où l'on célébra les noces avec la solennité habituelle. L'amour des nouveaux époux grandissait de jour en jour, toujours plus fort. La femme conçut et mit au monde un petit enfant, qu'elle chérissait d'un tel amour que jamais elle n'acceptait qu'on l'enlevât de son sein et de son giron, s'empressant à le nourrir, à le laver, à le langer. Les jours passaient et plus l'enfant grandissait, plus l'amour de la mère semblait aussi grandir. Mais un jour, le jeune homme était en affaires avec un ami et, naturellememt, ils se mirent à parler. L'ami se mit à critiquer son mariage, affirmant catégoriquement qu'il vivait avec un fantôme et non avec une femme. Pourtant l'évêque, quand les fiancés lui avaient été présentés et qu'il les avait soigneusement interrogés, avait déjà désapprouvé le mariage. Mais le jeune homme se laissa émouvoir plus que d'habitude

10. Mélusine, comme Meridiana et comme l'ondine sicilienne, prend également soin, dans les romans de Jean d'Arras et de Coudrette, de faire sa profession de foi : voir *supra*, p. 50.

par les paroles de son ami et commença à se poser des questions sur l'union qu'il avait contractée. Ils finirent par convenir que le jeune homme, rentré chez lui, dans le secret de la chambre, menacerait sa femme et son fils de son épée nue, avec des paroles et des regards terrifiants, et sommerait sa femme d'avouer sur-le-champ qui elle était, en se préparant à tuer l'enfant, si elle hésitait : il connaissait bien l'amour qu'elle avait pour son fils. Rentré chez lui, le héros accomplit ce qu'il avait décidé, selon la suggestion de son ami. Elle, épouvantée de voir le glaive brandi sur la tête de son fils, prit aussitôt la parole :

« Hélas ! malheureux, tu perds une épouse utile en me contraignant à parler. Je serais restée avec toi et je t'aurais fait du bien aussi longtemps que tu m'aurais permis d'observer le silence qui m'a été imposé. Je te parle, comme tu m'y contrains, mais après ces paroles, tu ne me verras plus ! »

A ces mots, la femme disparut, laissant son enfant, qui grandit avec les enfants du voisinage. Il se mit toutefois à aller très souvent au bord de la mer pour s'y baigner, là où jadis on avait trouvé sa mère, jusqu'au jour où, devant de nombreux témoins, la femme fantastique ravit, à ce que l'on raconte, l'enfant qui se baignait dans les mêmes flots ; et l'on n'a jamais revu ni l'un ni l'autre.

(Goffredo di Auxerre, *Super Apocalypsim*, éd. F. Gastaldelli, Rome, 1970, Sermo XV, pp. 183-185)

Le chevalier au cygne

Dans le diocèse de Cologne, se dresse au-dessus du Rhin un palais immense et fameux que l'on nomme Nimègue. C'est là que jadis, à ce que l'on dit, en présence de nombreux princes et de l'empereur, on vit aborder sur la rive une petite barque qu'un cygne tirait par une chaîne d'argent passée à son cou : tous les spectateurs se dressèrent, stupéfaits devant ce prodige. Alors un tout jeune chevalier, inconnu de tous, sauta de la barque ; et le cygne, comme il était venu, repartit en tirant la barque par sa chaîne. Le chevalier se révéla preux au combat, de bon conseil, heureux en affaires, fidèle à ses maîtres, redoutable pour ses ennemis, plein d'amabilité pour ses compagnons et de charme pour ses amis ; il épousa une femme de noble naissance, dont la dot lui apporta la richesse et la parenté la puissance. Enfin, après la naissance d'enfants, bien plus tard, alors qu'il se trouvait dans le même palais, il vit de loin son cygne qui revenait de la même manière, avec la barque et la chaîne. Sans attendre, il se leva précipitamment, monta dans le navire et ne reparut plus jamais. Mais de ses enfants sont nés bien des nobles et son lignage a survécu et s'est développé jusqu'à nos jours. (*Ibid.*, pp. 185-186)

La Mélusine du pays de Langres

De nos jours encore on raconte, dans mon propre diocèse de Langres, que de nombreux nobles, et même des seigneurs puissants, seraient des rejetons de vipères, nés de la race de cette serpente que le père de leur trisaïeul ou même un ancêtre encore plus éloigné découvrit, en pénétrant au plus profond de la forêt, sous la forme d'une femme très belle et parée de précieux vêtements. Il s'éprit d'elle au premier regard, l'enleva, l'emmena avec lui et, se contentant pour toute dot de savoir qu'aucune consanguinité, qu'aucune parenté par alliance ne s'opposaient à leur union, il l'épousa devant les ministres de Dieu. Il eut d'elle des enfants et, pendant bien des jours et bien des années, la force de son amour lui fit dissimuler le fait qu'il ignorait tout des parents et de la patrie de son épouse. Mais elle éprouvait un plaisir extraordinaire à se baigner et passait le plus clair de son temps à cette occupation. Et elle refusait de se laisser voir nue, même par l'une de ses servantes ; quand tout était prêt, elle les renvoyait, restait seule dans la chambre et fermait la porte de l'intérieur. Finalement il arriva un jour qu'une servante, regardant par curiosité par un trou dans le mur, vit non pas une femme, mais un serpent qui déroulait ses anneaux dans l'eau du bain. Elle la revit plusieurs fois sous cette forme et, émerveillée, révéla enfin à son maître le sombre mystère. Aussi épouvanté qu'elle à la mention du serpent, il se persuada qu'il y avait là quelque chose de mauvais, d'autant plus vite et plus facilement qu'il ignorait l'origine de sa femme. Enfin il attendit l'occasion opportune pour voir de ses yeux, stupéfait, ce qu'on lui avait dit, et s'ébahit, après la vieille inimitié entre la femme et le serpent, de voir conclu ce nouveau pacte. Incapable de dissimuler sa découverte, il fit irruption dans la pièce en criant et en forçant la porte. Mais elle disparut pour ne plus jamais reparaître, car elle ne supportait pas d'avoir été surprise sous sa forme de serpent. (*Ibid.*, p. 186-187)

BIBLIOGRAPHIE

TEXTES

COUDRETTE, *Mellusine*, poème relatif à cette fée poitevine composé dans le XIVᵉ siècle par Couldrette, publié pour la première fois d'après les manuscrits de la Bibliothèque Impériale par F. Michel, Niort, 1854.

COUDRETTE, *Le Roman de Mélusine ou Histoire de Lusignan*, éd. E. Roach, Paris, Klincksieck, 1982. (Le texte ici traduit est celui de cette édition, modifié sur quelques points précisés en note).

JEAN d'ARRAS, *Mélusine*, éd. C. Brunet, Paris, Bibliothèque Elzévirienne, 1854.

JEAN d'ARRAS, *Mélusine*, éd. L. Stouff, Dijon 1932, rééd. Genève, Slatkine, 1974.

JEAN d'ARRAS, *Mélusine*, traduction M. Perret, Paris, Stock Plus, 1979, rééd. 1992.

THURING VON RINGOLTINGEN, *Melusine*, éd. K. Schneider, Berlin, 1958.

ETUDES

F. CLIER-COLOMBANI, *La Fée Mélusine au Moyen Age : Images, mythes, symboles*, Paris, Léopard d'or, 1991.

C.-L. COMBET, *Le Roman de Mélusine* (transposition de la légende), Paris, Albin Michel, 1986.

L. DESAIVRE, *Le Mythe de la mère Lusine*, Niort, 1882.

F. EYGUN, « Ce que l'on peut savoir de Mélusine et de son iconographie », *Bulletin de la Société des Antiquaires de l'Ouest*, Poitiers, 1951.

H. FROMAGE, « Recherches sur Mélusine », *Bulletin de la société de mythologie française* 86, 1972, pp. 42-75.

P. GALLAIS, *La fée à la fontaine et à l'arbre*, Amsterdam, Rodopi, 1992.

L. HARF-LANCNER, *Les fées au Moyen Age. Morgane et Mélusine ou la naissance des fées*, Paris, Champion, 1984.

« Une Mélusine galloise, la dame du lac de Brecknock », *Mélanges J. Lods*, Paris, Collection de l'Ecole Normale Supérieure de Jeunes Filles, 1978, pp.323-338.

« La métamorphose illusoire : des théories chrétiennes de la métamorphose aux images médiévales du loup-garou », *Annales*, 1985, 1, pp. 208-226.

« La fée d'Argouges et les Mélusines médiévales », *Le conte de fées en Normandie*, Caen, 1986, pp. 179-186.

« Le baptême par le feu : la survivance d'un rite dans trois textes épiques tardifs », dans *Au carrefour des routes d'Europe : la chanson de geste*, Senefiance, 20-21, Aix-en-Provence, 1987, pp. 629-641.

« Merveilleux et fantastique au Moyen Age : une catégorie mentale et un jeu littéraire », *Dimensions of the Marvellous*, Oslo, 1987, tome I, pp. 243-256.

« *L'Histoire de Mélusine* et *L'Histoire de Geoffroi à la grand dent* : les éditions du roman de Jean d'Arras au XVIᵉ siècle », *Bibliothèque d'Humanisme et Renaissance*, L, 1988, pp. 349-366.

« Le mythe de Mélusine », *Dictionnaire des mythes littéraires*, éd. P. Brunel, Paris, Editions du Rocher, 1988, pp. 999-1004.

« La vraie histoire de la fée Mélusine », *L'Histoire*, 119, février 1989, pp. 8-15.

« L'illustration du *Roman de Mélusine* de Jean d'Arras dans les éditions du XVᵉ et du XVIᵉ siècle », *Le livre et l'image en France au XVIᵉ siècle, Cahiers V.-L. Saulnier*, 6, Paris, Presses de l'Ecole Normale Supérieure, 1989, pp. 29-55.

« Littérature et politique : Jean de Berry, Léon de Lusignan et le *Roman de Mélusine* », *Histoire et littérature au Moyen Age*, éd. D. Buschinger, Göppingen, Kümmerle Verlag, 1991, pp. 161-171.

« L'illustration des deux romans français de *Mélusine* dans les manuscrits enluminés », *Le Moyen Age* (sous presse).

L. HOFFRICHTER, « Die ältesten französischen Bearbeitungen der Melusinensage », *Romanistische Arbeiten*, 12, Halle, 1928, pp. 36-38.

J. KOHLER, *Der Ursprung der Melusinensage, eine ethnologische Untersuchung*, Leipzig, 1895.

J. LE GOFF et E. LE ROY LADURIE, « Mélusine maternelle et défricheuse », *Annales*, 1971, pp. 587-622.

C. LECOUTEUX, *Mélusine et le chevalier au cygne*, Paris, Payot, 1982.

« La structure des légendes mélusiniennes », *Annales* 1978, pp. 294-306.

J. MARKALE, *Mélusine*, Paris, Retz, 1983.

R.J. NOLAN, « The *Romance of Melusine* : Evidence for an Early Missing Version », *Fabula* 15, 1974, pp. 53-58.

« The Origin of the *Romance of Melusine* : a New Interpretation », *Fabula* 15, 1974, pp. 192-201.

M. NOWACK, *Die Melusinen-Sage, ihr mythischer Hintergrund, ihre Verwandschaft mit anderen Sagenkreisen und ihre Stellung in der deutscher Literatur*, Freiburg, 1886.

S. PAINTER, « The Houses of Lusignan and Châtellerault, 1150-1250 », *Speculum*, 1955, pp. 374-384.

« The Lords of Lusignan in the XIth and XIIth Centuries », *Speculum*, 1957, pp. 27-47.

E. PINTO-MATHIEU, *Le Roman de Mélusine de Coudrette et son adaptaion allemande dans le roman en prose de Thüring von Ringoltingen*, Göppingen, 1990.

E. ROACH, « La tradition manuscrite du *Roman de Mélusine* de Coudrette », *Revue d'Histoire des Textes*, 7, 1977, pp. 185-233.

S. ROBLIN, « Le sanglier et la serpente : Geoffroy la grand dent dans l'histoire des Lusignan », *Métamorphose et bestiaire fantastique au Moyen Age*, éd. L. Harf, Paris, Collection de l'Ecole Normale Supérieure de Jeunes Filles, 1985, pp. 247-285.

L. STOUFF, *Essai sur Mélusine, roman du XIVᵉ siècle par Jean d'Arras*, Dijon, 1930.

J.-J. VINCENSINI, « Le motif mélusinien et la transgression (analyse narrative) », *Amour, mariage et transgression*, éd. D. Buschinger et A. Crépin, Göppingen, 1984, pp. 225-237.

CHRONOLOGIE

1099 : Prise de Jérusalem par les croisés (première croisade).

1148 : Deuxième croisade.

1181-1193 : Gautier Map, *De Nugis Curialium.*

1186 : Guy de Lusignan, roi de Jérusalem.

1187 : Prise de Jérusalem par Saladin.

1187-1193 : Troisième croisade (Frédéric Barberousse, Philippe Auguste, Richard Cœur de Lion).

1187-1194 : Geoffroy d'Auxerre, *Super Apocalypsim.*

1192 : Guy de Lusignan, roi de Chypre.

1202-1204 : Quatrième croisade (qui s'achève par la prise de Constantinople par les croisés).

1209-1214 : Gervais de Tilbury, *Otia Imperialia.*

1214 : Victoire de Philippe-Auguste à Bouvines.

1217 : Giraud de Barri, *De Principis Instructione.*

1217-1219 : Cinquième croisade.

1228-1229 : Sixième croisade (Frédéric II).

1248-1249 : Septième croisade (Saint Louis).

1270 : Huitième croisade et mort de Saint Louis.

1291 : Prise d'Acre et des dernières places franques en Terre Sainte par les Musulmans.

vers 1330 : Pierre Bersuire, *Reductorium Morale.*

1337 : Début de la guerre de Cent Ans (défi d'Edouard III à Philippe VI).

1346 : Défaite française à Crécy.

1347 : Prise de Calais par Edouard III.

1348 : Début de la Peste Noire.

1350 : Mort de Philippe VI. Jean II le Bon, roi de France.

1350-1353 : Boccace, *Le Décaméron*.

1352-1374 : Pétrarque, *Les Triomphes*.

1356 : Jean le Bon vaincu et capturé à Poitiers.

1358 : Insurrection parisienne d'Etienne Marcel. La Jacquerie.

1360 : Traités franco-anglais de Brétigny et Calais.

vers 1360 : *Les Voyages de Mandeville*.

1364 : Mort de Jean le Bon. Charles V, roi de France.
Du Guesclin délivre la France des Grandes Compagnies.
Guillaume de Machaut, *Le Voir Dit*.

1369 : Froissart commence la rédaction de ses *Chroniques*.

1370 : Victoires françaises en Aquitaine et en Bretagne.

1375 : Léon VI de Lusignan chassé du trône d'Arménie par les Turcs.

1378 : Début du Grand Schisme d'Occident.

1380 : Mort de Charles V et de Du Guesclin. Charles VI, roi de France.

1382 : L'armée royale écrase les Flamands à Roosebeke.

1387 : Chaucer, *Les Contes de Cantorbery*.

1388 : Philippe de Mézières, *Le Songe du vieux pèlerin*.

1392 : Eustache Deschamps, *L'Art de dicter*.

1392 (printemps) : Conférences franco-anglaises d'Amiens.

1392 (août) : Début de la maladie de Charles VI.

1393 (avril-juin) : Conférence franco-anglaise de Leulinghem.

1393 (7 août) : Jean d'Arras dédie au duc de Berry son *Roman de Mélusine*.

1393 (29 novembre) : Mort de Léon VI de Lusignan.

1395 : Conférences franco-anglaises de Paris.

1396 : Défaite chrétienne de Nicopolis devant Bajazet.

1399 : Déchéance de Richard II. Henri IV de Lancastre, roi d'Angleterre.

vers 1400 : *Les Quinze Joies de mariage.*

1400-1403 : Christine de Pisan, *Le Livre de Mutacion de Fortune.*

1401 (17 mai) : Mort de Guillaume Larchevêque, seigneur de Parthenay, commanditaire du *Roman de Mélusine* de Coudrette.

1405-1449 : *Journal d'un bourgeois de Paris.*

1407 : Assassinat de Louis d'Orléans sur les ordres de son cousin Jean Sans Peur, duc de Bourgogne.

1410 : Les frères de Limbourg, *Les Très Riches Heures* du duc de Berry.

1415 : Victoire anglaise à Azincourt.

après 1415 : Poésies de Charles d'Orléans.

1416 : Mort du duc de Berry.

1417 : Réunification de l'Eglise.

1419 : Meurtre de Jean Sans Peur.

1420 : Traité de Troyes. Henri V héritier de France.

1422 : Mort de Charles VI et de Henri V.
Alain Chartier, *Le Quadrilogue invectif.*

1429 : Sacre de Charles VII à Reims.

1431 : Procès et mort de Jeanne d'Arc.

1432 : Van Eyck, *L'Agneau mystique.*

1453 : Prise de Constantinople par les Turcs.

1456 : François Villon, *Le Lais.*

1461 : Mort de Charles VII. Louis XI, roi de France.
François Villon, *Le Testament.*

1473 : Fin de la domination des Lusignan sur Chypre.

1475 : Fin de la guerre de Cent Ans. Entrevue de Picquigny entre Louis XI et Edouard IV d'Angleterre.

1571 : Occupation de Chypre par les Turcs.

INDEX DES NOMS PROPRES[1]

1. Le chiffre qui suit chaque nom renvoie à la page correspondant à la première occurrence de ce nom.

TABLE

Achevé d'imprimer par CPI
en novembre 2018
N° d'impression : 150321

N° d'édition : L.01EHPNFG0671.C007
Dépôt légal : mars 1993

Imprimé en France

DERNIÈRES PARUTIONS